S0-CAT-532

鄭華娟

南十字星下的約定

〈自序〉
南十字星下的約定

手牽著手，站在世界最南端的城市海邊。

頭頂上飛過一架紅色的小飛機，裡面坐著去南極冰原尋找更多地球大自然祕密的科學家。

不知道他們又會發現什麼事？足以改變人類對世界的看法……

不過，我這個地球上很渺小的住民，卻很高興。很高興，可以和心愛的人，發現了南極的海域，有那麼熱情的顏色和景象，感染著兩顆相愛的心。

世界南端的海邊早晨，有點冷。

冰冰涼涼的南極風，總找得到空隙灌進我們繫得很緊的防風帽，卻還是堅持看紅色的小飛機，飛往地球的最南端，一直到看不見為止。

好安靜，雖然此時一句浪漫的話也沒說，手牽著手，也感覺到握得很緊的幸福。

跟南極背對轉身，我們向地形又瘦又長的智利內陸出發。

從巴達哥尼亞到智利最北的阿卡塔瑪沙漠，旅程是從世界的最南端，到世界的最乾旱。有這兩種大自然之最的旅行，實在精采！

套一句智利詩人聶魯達那首情詩詩句：「愛情太短，而遺忘太長」來說吧，「假期太短，而智利太長」則是我們在旅行中一直從心底升起的感受。

不管地形風景如何變換，智利的天空，夜裡總閃爍著漂亮的南十字星。

我們在萬點星團中，向南十字星約定重回巴達哥尼亞的心願。

手牽著手，心情真是美麗。當你可以和相愛的人，一同在南十字星下許下約定。

當然也祝你已尋見和你一起許下星空約定的人。

祝福……

CONTENTS

CONTENTS

最偉大的情書

曾無法想像，世界的南端會給我怎樣的感覺。就連出發前上網查看的天氣預測，也是眾說紛紜。

老德先生總是防患於未然，整出來原本要收的冬衣放入皮箱，我才慢慢感受到，智利現在的季節，正是朝著與北半球逆轉的方向。

旅程開始得十分純粹，由法蘭克福直登上的就是智利航空的班機。陌生的航空公司，我總是粗心地把它的名字叫錯：

「請問Chile Airlines的櫃檯在何處？」

「妳是說Lan Chile嗎？」我一再被機場的詢問台服務員糾正。

空服員的面龐是拉丁美洲人，夾雜著西班牙口音的英文，聽來格外有情調。我向來反對空服員說太漂亮的英語，旅行者要的，本就是這整體的異國氣氛。

老德先生爲了每個經濟艙座位上都可自由選擇電影快轉或倒帶的裝置而興奮，沒錯，那眞是一種自由，不會因爲去上廁所，就把精采片段錯過。

三小時外馬德里的過境，已是西班牙文的勢力範圍。除了海鮮飯和畢卡索，驚覺自己對這西文世界一無所知。

在候機室無聊愛睏之際，我們想出了一個旅行的遊戲。

「我們該從世界最南端寄張明信片給自己，回家後接到再讀一定格外有趣。」

老德先生搖搖頭：

「為什麼不是我和妳互寄明信片？這樣比較好玩！」

「是呀！這樣好玩！」

於是當下訂下最嚴厲的互寄明信片付郵前八字規則：

不可過問！

不准偷看！

旅程尚未開始，竟對老德先生即將寄給我的明信片有了諸多期待。而太多期待，會讓遊戲變成陷阱，除了無法自拔，還有可能越陷越深。

一起旅行的戀人或夫妻，在旅途中互寄明信片的無聊遊戲，或許眞有造就最偉大的情書的危險與可能……

我極喜歡飛機上的酒單，是由軟木塞製成的，無可抗拒地喝了智利紅酒，鬆懈了即將前往陌生國度的心神。

接下來十二個半小時往南的夜間飛行，我都在夢中。飛機飛過安地斯山脈的時候，我得到了熱熱的毛巾。

「早餐已經開始！」我的胃高興地說。

有可能寫出最偉大的情書的遊戲也已上路！

我的心雀躍地呼喊著……

ISLUGA, LLAMAS

深褐色瞳孔男孩的思念

如果要形容帶我們參觀Punta Arenas市區的那位帥帥的青年，我只能說，我一路上都被他那深褐色的瞳孔給迷住了……

他穿了件白色翻毛的米色外套，裡頭是件深藍色的T恤和牛仔褲，外加一雙翻皮的米色繫帶便鞋。站在這世界南端的豔陽照耀下，他深褐色的皮膚和笑容，活像是廣告裡的服裝明星。

他在機場的小小迎賓廳跟我們揮手，一身快樂的孩子氣，讓我們一下子就感染了這塊世界地極之地小城市的單純氣息。

「妳是從台灣來的作者吧？」他笑著問。

看著他深褐色的瞳孔，我點頭答應了。

智利當地的旅行社幫忙安排了市區導遊，是怕我們迷路吧？其實Punta Arenas很小，怎麼走都走不丟的。不過既然有這麼帥氣的導遊出現，我們也不想拒絕。

跟他去博物館參觀的時候，老德先生驚訝於這帥帥的青年，竟能將這兒的人物歷史倒背如流，他的相關知識簡直像本書！

我問的幾個笨問題，他非但沒笑，還更認眞地向我解釋更多，眞不容易！我通常認爲帥哥都會有點頽廢哩！

上小港口眺望小城時，他的手機響了。

「嗯，我愛妳。當然……，嗯，眞的……，但我現在在工作……，親愛的……，晚一點再跟妳聯絡。記住，我眞的愛妳……」

老德先生跟我一時之間不知該往哪裡避才好，聽到快臉紅啦!!

「對不起，是我的女朋友，從倫敦打電話來給我。」他急急解釋著。

「呵呵，」我們說，「那很好呀！這麼甜蜜！是怎麼認識的呢？」我的好奇又出現了。

是呀！怎麼認識的呢？

愛情是世界的共通語言

我的好奇讓那對深褐色的瞳孔散發出極柔軟的眼神。我感覺他意欲離開眼前一味惡劣想探人隱私的家庭主婦，而飛去他愛人的身旁。

他粉色的薄唇揚起了笑意，本來認眞深邃的眼眶，現在成了幸福的橢圓。他似乎不在乎我的莽撞，而興致勃勃地訴說起與愛人的緣分。

「她是英國人，來這兒旅遊，剛好是我帶她那一團，就這樣……」

就這樣？故事雖沒說完，那「……」的部分卻伴隨著一個微笑和一個盡在不言中的眨眼。

啊！原來愛情是世界的共通語言，最甜蜜的過程，用「……」表示，也會讓來自不同疆域的人深刻明白。

老德先生是實際派，問著：

「那將來誰牽就誰？你們要去哪兒過共同生活呢？」

是呀！那位被深褐色瞳孔擄掠的英國女孩，也短路如我要當個家庭主婦嗎？

他搖搖頭，這時嘴型壓成了緊住心事的橫線，微微皺起的眉間似是最堅定的刻痕。

「婚禮就在今年，距離的問題，就是這段愛情的考驗。或許是第三個都不屬於誰的家鄉吧！這樣兩人以後都無從怨尤。」

深褐色的瞳孔此時刻劃的自信，讓誰都願意給他們永遠的祝福。

「Punta Arenas 並不是世界最南端的城市！」

我抗議似地問，轉移到完全不相干的話題，覺得這樣可以讓漂亮男孩的心思回到工作。引起這心情意外的好奇魯莽者，畢竟是我。

Punta Arenas的整個市區，這個角度很漂亮。

他一聽神色抖擻起來，拋開屬於愛的所有妥協擔憂，讓陽光充滿的氣息再度降臨。

「妳從今以後要告訴妳所有朋友，誰都這麼說：烏舒瓦亞（Ushuaia）是世界上最南端的城市，其實有個小小的錯誤。」

深褐色的瞳孔又顯出最漂亮的知識渾厚。

「看地圖，烏舒瓦亞是比Punta Arenas更靠近南極，但是，若用城市人口來比較，這兒住著將近十一萬人，而烏舒瓦亞的居民大約兩萬，只能稱爲小鎮，而非城市，人們卻一再犯錯，說那兒是地球最南端的『城市』，眞是一點道理也沒有！」

他極有見解，我們只能啞口無言，暗自在心上記下：

以後要說烏舒瓦亞是最靠近南極有人煙的小城，Punta Arenas才是世界最南端的「城市」。

用湛藍唱情歌的海

「你們看這海的顏色！」他欣賞著夕陽將近的海，像是從未看過似的。我們才是驚嘆這向著南極的海潮顏色，是如此的深，像是雕琢好準備出售的藍寶石戒指，光滑無紋。夕照下的粼粼波光，又像是滑過藍寶石的音痕，唱著純淨的南極海域之歌。

我突然在深褐色的眼瞳中發現了思念的影子，他看著海，正用湛藍在唱首情歌。

我覺得被擄獲的英倫情人，愛的不只是那對深褐色的眼瞳，還有那眼瞳中看過無數次Punta Arenas的海的靈魂。

那是理所當然，若愛是身體與靈魂的結合，這兒的湛藍冷冷深海，也完美地與南極的冰山相配。

想繼續再聽用湛藍唱情歌的海，深褐色瞳孔男孩卻說要帶我們看看有意思的東西……

LAGO CHUNGARA

旅人想念家鄉的證據

深褐色眼瞳的男孩邊走邊說：

「我不確定這種東西妳會喜歡，可是確定這樣的心情，妳一定會懂。」

是嗎？在這離家萬里外的陌生國度，在這世界的天涯海角，會有什麼東西是可以讓我做喜惡選擇，且一定會懂的心情呢？

漂亮男孩的話，給人謎語樣的感覺，而這謎般的假定語氣，又似戀人間的對話——似是而非，意欲傳達自己的看法，又對愛人不認同的回應，表現得異常寬容。

男孩的頭髮是微捲的，我跟在他後頭，細讀那一頭濃濃黑髮，在夕照下髮絲有如海潮的波浪。聽說有自然捲的人脾氣壞，那漂亮的微捲呢？一定是有著個性又柔軟的心吧……

「就在這兒！」

男孩微笑著指指面海小路旁的兩支瘦高的木桿，上頭釘滿了各個國家不同方向的指標，每個箭頭所指之處，是旅人曾在這兒想念過家鄉的證據。

台灣在哪兒呢？

現在在世界南端的我，亞洲正是在地球垂直線的下端，所以我查遍指標，卻沒有發現任何木牌指著向下……

「哈！這是德國一個好小的鎮哩！」

老德先生端詳著各國遊客寫好釘上的離家公里數牌子，突然發現家鄉裡的一個小鄉名，不知怎麼，語氣中比發現寫著

指向家鄉的指標牌（有標公里數）。

德國木指標時的感覺還更親切。

其實，許多人年輕時，最想遺忘的便是那些木牌所指的方向。後來，才驚覺留鳥並無候鳥的基因，遠行不過是遮住軟弱或倔強的幌子。

這些木牌給我的感覺，正像許多人一同輕輕哼著：「思念總在分手後……」那樣通俗又有趣。

旅行的人們對家和愛人，永遠都有從沒後悔想過你的感覺吧……

「喜歡嗎？」男孩微笑著探詢。

「喜歡，喜歡！」我們點頭回應。

而我們更喜歡的是男孩對工作的熱情。

雖然已經好幾年，卻對遊客的反應依然在乎，不管這態度是對人、對工作，都叫做深情。

我們散步下山，Punta Arenas的傍晚海風輕拂，垂直線腳下的亞洲，現在正是朝陽升起的時刻。幸好我正跟老德先生一起旅行，要不然不知會引來怎樣的深深相思。

深褐色眼瞳男孩與我們道別，不用問也知道他今晚將與英倫情人展開最甜的對話。

祝福你，漂亮的男孩，也謝謝你是我們世界南端之旅最美麗的開始……

一個有你的海港秋夜

首都聖地牙哥的停留只是短暫的點綴，我們急著要去那天涯海角，看看是否像傳說中那樣，會給愛侶一種幻想中的永遠美好。

當智利航空的內陸飛機繼續往南前進，安地斯山脈漸漸沒入了海域，冰河在山谷間緩慢推移，冰山則在靜靜的水中佇立。

麥哲倫的航海探險屬於十六世紀，不知他是否曾有心儀的愛人？而我卻只讀到，他一生只想跟找到由歐洲到亞洲海之通道的壯志翻雲覆雨。他與叫做海的愛人連連慘烈交手，卻永不放棄，於是今天的麥哲倫海峽，就是這裡。

他把不顧他死活的這片像撒潑愛人的海叫「Pacific」，原文的意思竟是「平靜」，讓我眞感動麥哲倫對他愛人的深切情意。

已經說過了，是深褐色瞳孔的漂亮男孩爲我們開始了Punta Arenas的旅行，卻忘了說他一再提醒，這兒是巴達哥尼亞（Patagonia），不是智利。問其原由，結果也還是深情：

麥哲倫相信傳說的巨人還在這兒寄居，他稱「巴達哥尼亞」就是「巨大之足」的意思，當地人至今不願將這美好威武的形象揮去。

爲了尋找漂亮男孩所推薦的小餐廳，我們走在寂寥且吹著冷風的街道。若這只是秋，我不敢想像冬的面貌。

三月中已是旅人離開這海港的季節，就連大大的豪華郵輪，停在多風夏末的港口，也顯得意興闌珊。

我們停下來，手牽著手在沙灘邊，看嬉戲的孩子與海鳥，啊！突然感到，世界上哪來什麼天涯海角？那境界不過只是可以跟喜歡的人在一起，開開心心、不受打擾，而愛人們最依賴的就是這種陳腔濫調，即使訂情的麵攤叫天涯海角，我也覺得沒什麼不能拿來驕傲。

餐廳的招牌顯出店主的思潮，播著爵士樂的食堂就叫「月亮」。或許氣氛眞的就是要靠醞釀，在和老德先生喝過第一杯紅酒後，我對著他說：

「一個有你的海港秋夜，眞好……」

月亮餐廳中的思鄉地圖

偉大的誓言常是默許的。

像航海的水手，靠著遙望從不說話的南十字星指引，總能在南半球無邊的海洋找到方向。

老德先生沉默地看著我微笑，喝下他的第二杯紅酒。在他眼神中，我發現銀河系中最溫柔的閃亮……

聞到隔壁桌客人點的海鮮麵傳來一陣陣香味，我們決定不再爲無聊的浪漫餓壞肚腸，老婆左右手豎拿著刀叉，對著酷愛爵士樂的老闆說：

「我要我的海鮮湯！」

付帳的時候，小小的籐籃中擺著帳單、兩面小旗子和一支原子筆。小旗子是兩支大頭針分別被兩張對摺後的自黏貼紙貼住所製作的，我們不明所以，月亮餐廳的女侍過來解釋：

「你們看，牆上有地圖，在小旗空白處寫上你們的名字，再將大頭針插在地圖上你來自的地方……」

我去地圖上亞洲的部分找到了台灣，算了算有五張大頭針小旗插在番薯島上，眞是太令人興奮了！將自己寫著名字的旗插進地圖。哈哈！月亮餐廳的老闆，你跟顧客間的互動還眞的有點不一樣……

承諾是生活中的點滴說明

走出餐廳，老德先生突然牽住我的手，像想起什麼大事似地說……

「剛才我出旅館前整理背包時，掉出來的東西中，妳看見了些什麼？」

老德先生這時的眼神單純如孩子，像眞的怕我發現什麼事一樣。

走在冷風不斷的夜裡，老婆開始認眞地回想，像曾經繁華一時的Punta Arenas也憶起了她的過往：

風再大，歐洲大陸船隊依然帶來華燈初上。麥哲倫海峽和太平洋去亞洲的富裕船商、錦衣華服和名流時尚，在一九一四年巴拿馬運河通航，可替代這兒成爲更短到亞洲航程的那個晚上，都成了不再輝煌的幻夢一場……

當我們經過一家叫「里茲」、古老殖民時期已經凋零的老飯店門口時，我想起來了：

「我看見了地圖、錢包、手套、你的毛線帽和護照，還有……」

啊！說到此處，我才明白，馬德里機場候機室所約定的互寄明信片遊戲已經開始！難怪有張Punta Arenas的風景明信片在記憶中出現，就在老德先生不小心散落的背包旁!!

「哈哈哈！看到了啦！你要寄給我的明信片！你不提我還眞的沒想到！」

老德先生在海港冷風中搖搖頭：

「看見了就不算，重新買過……」

我摀住嘴想笑，同時對有趣的老德先生感到驕傲，因爲我差點就忘掉，要讓寫出偉大情書的遊戲開始發酵。老德先生對被看見的卡片失望得不得了，他總是要把我們約定的事做到最好。

我笑著把老德先生的手牽得更緊，想告訴他我感謝他的認眞，無奈這時冷風送我一陣鼻涕，讓我趕緊找面紙，或許待會兒還有機會，告訴他能跟他相遇多麼可貴。承諾是一點一滴在生活中說明，不是在風中大喊的誓言，那怎麼讓人相信？

愛的激情不會永遠，承諾是風寫的詩，當了解這兩件事，你才能安安心心跟愛著的人開始過日子。

地球最南端城市的風，不管塵世的繁華或沒落，都一樣盡忠職守地吹著……

荒蕪了的里茲旅館。

不想驚動愛人的夢海

我快步跑進旅館，像是被風追趕的孩子。

Punta Arenas的風，讓人感到找個避風港是多麼重要。這風在天涯海角，竟吹出心底如此感受，而多愁善感未盡，啊！鼻涕又來啦……

進了房間，拉開窗帘，高興地拍起手來！

眞棒的景觀呀！窗外就是港口的海，船兒靜靜地停在港邊。藍色的夜，撲向了寧靜的城，像張漁網，可以網住夢……。我打了個大哈欠，腦海浮出了很多計畫：

「明天起個早吧！」我說，「去看日出的港口，再走遍通往南極港口朝陽中的街道，去看看可否能找到一個最俗的紀念品——一隻圍著紅圍巾的南極企鵝布偶，那是我夢寐以求……」

興奮地還沒說完，老德先生已經被那藍色的夜的漁網捕捉，毫不依戀地進入了夢的浩瀚海洋。他的呼吸如此均勻，如拍打海岸的浪潮，把異鄉之夜的氣氛變得無比溫暖美妙。

悄悄地關了燈，不想將愛人的夢海震動。當太陽升起，我們還會再度相逢。

如果我們能給對方的愛情叫做風平浪靜，我們就能一起面對人世間的洶湧波濤。

我夢見自己是港邊的船，在南極的風中，和海相偎相依……

輝煌時期的旅館（左邊那棟黃房子）和Punta Arenas市區。

流浪是我的初戀情人

我建議你去讀布魯斯・查特溫（Bruce Chatwin）的流浪旅行書。他才眞正懂得什麼是流浪！他講的流浪有種迷人的特質，你去讀了，就會懂。

這個只活了四十九歲的傢伙，放棄了英國的一切，跑到Punta Arenas寫了他在世界南端巴達哥尼亞旅行的故事。啊！我怎麼眞的來到了查特溫筆下的Punta Arenas啦……

想到了愛流浪的查特溫，也做個流浪的家庭主婦吧！呵呵！流浪的家庭主婦？

愛幻想的我，流浪曾是我的初戀情人……

在世界最南端和你一起看日出

爲了看朝陽升起的海，我們走出靜悄悄的房間，走出這曾被稱爲「皇室」的老旅館，走過一九〇四年由最講究建材所造的旅館大廳：義大利來的大理石、比利時來的木梁、法國來的高級地毯，所有全盛時期的炫耀，如今都已陳舊。在晨曦中，別墅式的黃顏色的旅館，也像在時光中流浪著，陪大理石、木梁和地毯，在這天涯海角，一起想家。

日出的光線，讓港口的海的顏色千變萬化。無盡的海，感覺是塊透明的紗布，在海底正有著光的表演者，在透著這塊透明的水布即興演出。岸邊拍打著的白色海浪，又看來像是繡在深藍色裙邊的蕾絲，像嬌豔少女的裙襬，在風中微微翻揚。

「你記得住這景象嗎？」我問老德先生。

「妳呢？」他回問。

「我只記得一件事，」我說，「記得在世界最南端的日出是跟你一起看的。」

老德先生眼睛一亮，隨即講了件不相干的事。他說他知道現在該去哪兒最好。現在？去哪兒最好呢？

與天地萬物安然共處

在異鄉的海邊，突然對愛人有陌生的好玩感覺冒出來：我們都未造訪過的城市，他竟宣稱知道此時該去哪兒最好？

「別鬧了！你怎麼會知道？這城市不過剛剛進入星期日朝陽的浸潤中，還安靜得很呢！不要亂蓋！」我說……

我笑著轉身繼續看海，想把在港邊就能遠遠看見的火地島的輪廓在心中記載：

叫做火的島呀！正隱隱約約在晨光中顯出了曲線，柔柔的，給人深深寧靜印象，眞難想像那地方曾是讓水手們害怕前往的地方——風雨大時，會讓船卡在礁石間，要命地動彈不得，不願赴死又不能回航！

啊！原來眞是這樣！人們不是都稱完蛋了的愛情爲「感情觸了礁」嗎？在愛的大風雨中，誰都有動彈不得的感覺……

冷冷晨風裡，幻想自己是第一回看見島上冒出白煙的水手，驚惶那群島上爲何有神祕煙霧飄忽眼眸，不明白那不過是島上印地安人捕到獵物時所發佈的訊號。

聰明的印地安人，捕到獵物，不必用手機，就可以通知家人了。我想，很優，很優……

當一八三〇年，達爾文要開始小獵犬號的航行時，火地島也正是他很想拜訪的地方。他比任何人都崇敬當地印地安人的生活方式和強壯勇敢的驕傲：

印地安人從不穿衣，也從不感冒，與天地萬物安然共處，可以在自己造的木船上升火、煮飯、捕魚和跳舞……

老德先生拍拍我的肩：

「喂！很冷ㄟ！想喝熱咖啡，我知道哪兒有！」

哇！原來是去喝熱咖啡！不早講！害我在那兒假裝了半天自己是小獵犬號上的水手！

我們牽著手，朝港口的碼頭大門走，老德先生讀了旅遊指南，自然尋到熱咖啡不難。你眞棒！老德先生！眞的有這麼間精美的小店在碼頭的大門口，可是卻失望了。對，你猜中了——沒開！在還未失望完畢前，我卻指著小精品店的櫥窗興奮地尖叫起來……

朝思暮想紅圍巾

對於沒見過的東西，居然不停地深深想念，像還沒愛過的情人，居然溫柔地出現在你眼前，那是天地間最甜的幸福，一種天長地久的感覺，延續到了永遠……

這是我爲什麼會指著小紀念品店櫥窗尖叫的原因：那隻我夢寐以求，圍著紅色圍巾的企鵝布偶，正安安靜靜地站在那兒吶!!我像是突然遇見了世界之南端從未見過面的老朋友……

我假裝搥著商店的玻璃門，像是完全不能控制自己。不遠處的港警室有人探出頭，露出的眼神充滿不明就裡，我又對企鵝布偶張開雙手意欲擁它入懷，不過立即發現中間隔著玻璃窗，只好把手臂交叉胸前，像對聖像禱告的虔誠婦女，嘴裡唸唸有詞地低頭啜泣……

「妳瘋了！」老德先生搖搖頭說。

「沒錯！快看小店何時開門！我要那隻企鵝，我要它的紅圍巾!!」

繞著小店左右走了一圈，營業時間就是找不到。我急得失去耐心，氣得雙手叉著腰，老德先生知道此時再怎麼理智，也不能把我尙未進化的孩子氣改造，只好這麼說：

「這樣吧！我們不如先回旅館吃早餐，讓暖暖的食物替我們驅驅寒。我保證待會兒再來，小企鵝一定會快樂地跟妳抱個滿懷！」

嗯，好主意！現在才想起來，眼睛飽看了日出的我們，還沒享受到今晨的早餐。好的好的，這是一個好方式將與小企鵝相見的時間等待。

用相思和你一起浪跡天涯

旅館的大廳有許多箱子一路排開，箱子的主人們正在享受著熱鬧哄哄的早餐。我們好不容易找到了尚未被佔據的小餐桌，正要喝第一口咖啡時，卻聽見一個女人，用洪亮如將領般的聲調，在餐廳入口大喊著命令似的句子。此時大家全都安靜下來，我張大眼睛，難道她跟我一樣，也看到了什麼她喜歡的東西嗎……

我把大聲喊著說話的胖女人看清楚：她穿著件鮮黃色、有點過大的襯衫，衣服下頭擋著過肥的小腹，削短的頭髮染得又金又土，厚厚嘴唇擦的口紅濃得像日出。我怎麼看都覺得她的造型像麥當勞叔叔……

突然，她再次像發號指揮令似地用法文大聲說：

「快！快！快！遊覽車已到，趕不上車的人，自行負責！」

餐廳中所有的年輕人聽了，一哄而起，急忙快步到大廳提自己的行李。我一時錯覺這可能是旅行團安排的尋寶遊戲，要不然怎麼會有人願受導遊這種氣？

老德先生說這胖女人其實是大學生旅遊的女導護，跟旅行社的導遊完全扯不上關係。

喔，原來如此！是法國大學學生的海外旅遊！

不過這樣也太沒情調，女導護的嚴格根本不適合浪漫的天涯海角，好好兒的早晨輕鬆氣氛，差點被她破壞掉……

想起昨天在城中看到的沃伊金斯（Bernardo O'Higgins 1778-1842）銅像，他是帶領智利脫離西班牙統治獨立的貴

Punta Arenas的眺望台，可以看見天際線邊的火地島，
還有在這兒賣手織物的原住民。

族將相，智利人到今天都對他十分景仰。我學著他銅像的姿態，問老德先生我跟那位女導護的氣勢有沒有不一樣？

可憐的學生們，乖乖上車走了，跟這個將軍氣勢的女導護。哈！哈！哈！他們要趕著去哪裡呀？

老德先生說可能就是去港口，登船去南極逛峽灣、冰山和看海狗。

「喔喔，」我說，「知道，知道。」從Punta Arenas出發的船，應該都往南極走，最終會到那世界最南端的小鎮——烏舒瓦亞。這誰不知道？

我繼續喝咖啡，發現爲了學將軍女導護的搞笑，我的咖啡就要涼掉了。可是此刻卻在腦海有陣怪怪的感覺，像冷風吹過……

「等一下！他們正要去港口？也就是說他們會經過剛才我們看到紅圍巾小企鵝那家紀念品店門口？」

我倏忽像聽見女導護的口令般站起，然後對老德先生大喊：

「快快快！再慢就要來不及了！」聲調中帶著微微的歇斯底里。

你知道了吧？當一遊覽車的遊客經過某家紀念品店時，會發生什麼事？

紅圍巾小企鵝，可能是人見人愛的東西……

我連走帶跑不敢慢，帶著緊張心情跑步有點喘，遙遙望見小紀念品店，已經有很多人在裡面。

紅圍巾小企鵝，你還在嗎？你可不會讓我只能用相思和你一起浪跡天涯吧？

我用全力衝刺到店前……

不賣關子，紅圍巾小企鵝已經不見了，被買走了！

櫥窗中它曾站著的地方沒它的蹤影了！

我的頭麻了！

我呆了！

我失望極了……

眞愛不是佔有

你可能會笑我吧？

爲了一隻布偶企鵝，在世界的南端，傷心無端，思緒亂翻。

看港口待駛離的船，慶幸布偶企鵝幸好戴了紅色的圍巾，當船逛峽灣、看冰山，布偶企鵝才不容易感冒……

這樣也好，心愛的一切，不管是相隔有距離或相伴，都要了解愛不是佔有。愛，無法佔有，這樣兩個人的心才有空氣，愛才充滿自由。

就像這兒，叫做「巨人之足」的智利巴達哥尼亞，也是全世界許多人的最愛：

是探險隊永遠看不完的神祕，

是地質學家總愛觀察的區域，

是生物學家發現更多未被發現生物的所在，

物種學家在這兒追尋著精采的過去和未來，

是觀星者在夜空，抬頭就能看到銀河中鑲著南十字星的天堂，

有人幻想著會在南極海域，遇見比最大鯨魚更大的鯨魚；

有人期待在巴達哥尼亞，能再和傳說中的巨足人撞個滿懷。

這許多人的最愛，都不能放在背包中夾帶，只能像不放棄的提親者一再回來。

巴達哥尼亞，像令人傾心又倔強的愛人，極美麗又極有個性，誰都想佔有，卻只能體會那深深甜蜜的無奈。

「想清楚了！」我說。

小企鵝一定會快樂地去旅行吧？

它的主人一定會好好照顧它吧？

想想有那麼多人，還不是無法將深愛的巴達哥尼亞帶回家？我的遭遇還算好啦！

「走吧！」我伸手牽老德先生的手。

老德先生也笑著緊緊回握我的手。

「還好！」他一定鬆了口氣，老婆沒爲了紅圍巾小企鵝在碼頭追船跑……

我們決定在這個小紀念品店再喝杯咖啡，可是當我們一進店門，看到那麼多的風景明信片……，喔耶！寫明信片給對方的遊戲該繼續啦！

我們突然心照不宣地，各懷鬼胎起來……

這就是那家讓我快抓狂的咖啡店，有看見照片左邊櫥窗中的企鵝嗎？
在右邊後方就是德國人造的老鐘喔！

再見，深褐色眼瞳男孩

你該記得我們「互寄明信片」的遊戲規則吧？

也就是老德先生和我約定好，在旅行智利的旅途中，要寫張卡片寄給對方的事，等回到家接到時，再看對方選了啥樣的卡片，寫了啥樣的心事。而大前提就是彼此──

「不可過問。不准偷看。」

但當我們倆同時面對這麼多明信片，該如何支開身旁的人，買下要寄給對方的明信片而不被發現，可不是件容易的事。

立刻決定說出大白話，即使不怎樣溫柔，也沒關係。

反正相處著的感情有時是得這樣粗魯，要不然很多狀況就會很難搞定，因為不可能像連續劇裡的人物，總可以想到辦法，支使愛人笨笨地自動走開。

Punta Arenas 市區，藍色唱情歌的海不遠處可看見火地島。

若眞以肥皀劇的手法來導演活生生的愛情，肯定會因爲愛人反應不如預期，接著大吵一架。

最糟的是，還不能像連續劇那樣，在緊要關頭接著演美美的廣告……

你的笑，是我心中的火花

「喂，你這樣就會看到我買哪一張明信片，請迴避一下，好讓我挑張卡片寄給情人。」

「嘿嘿！」老德先生聽了表示正在想跟我同樣的事。唉喲！那現在怎麼辦？

他指指樓上的咖啡店，再指指紀念品店都有的那種旋轉架上的明信片：

「不要浪費時間，趁著港邊的陽光，先寄出對家人朋友的思念，我們互寄明信片的遊戲，在這兒沒法兒進行。」

說的沒錯！家人、愛人還是要兼顧，要不然愛情的甜蜜心情誰來跟你分享？沒了他們，又誰來做你愛情喜怒哀樂中傾吐心事的支柱？

兩人買了一大疊卡片，上二樓的咖啡店開始寫。面對著藍色大海的玻璃窗，曬著又暖又明亮的陽光，想起朋友們一張張的臉，居然寫出很多好笑的句子來。

感覺眞正的好朋友像樂器，可以在心中找到共鳴的旋律。如果接到卡片的朋友，被寫的句子逗笑了，我心中也一定同時有溫暖的火花迸出來……

愛守時的老德先生看看錶，我知道他一定是在催我快快快！唉！想起了法國學生團的女導護，心裡一陣不爽：

「不是今天沒行程嗎？」我假裝很不耐，刻意皺出眉頭來。

「誰說沒有？」老德先生說，「眞的要快快快，妳忘了我們要去趕車嗎？」

啊，對了，我眞的忘了！超重要的事，我怎麼會忘了……

你是我心靈最深的震撼

正在享受暖暖的陽光，手裡熱騰騰的咖啡有夠香。老德先生的催促聲，實在有點殺風景。

不過老德先生有夠幸運，還好懶洋洋的老婆明白趕不上這趟車的重要性，即使身上的懶細胞數量多過紅白兩色血球，也只好站起來，用刀光劍影那麼快的速度，給所有的明信片貼上郵票。當舌頭還殘留著甜甜郵票的膠水味道，將我們從地球最南端所報的快樂平安，統統塞進紀念品店入口的郵筒。快快快！我們往旅館的方向跑。

其實心裡也很期盼，今天的目的地是我喜歡的大自然，要到Puerto Natales去看冰山間的峽灣。

我總認爲在自然中的巨大寧靜，才有機會讓自己與心靈做出深刻的交談。

可是說歸說，那不過是從旅遊照片上看來

CRUCEROS EN PATAGONIA NORTE

的夢幻，搞不好眞到了現場，我只會有安靜不了的震撼。這就是自然，誰都不知道會給心上帶來什麼衝擊或美感。

我們是要往北行，巴士要走三個小時，會先到Puerto Natales的旅館住下，再坐船、再看山，再進入百內國家公園。

嗯，想都不能想像是怎樣的旅行呀！

在這麼遙遠的巴達哥尼亞，聽說風景變幻無窮。這兒是海與山、草原與森林的相融，還有能穿過石頭的風，無止無盡地雕塑著巴達哥尼亞的面容。

當我們辦好退房手續時，在旅館大廳，我差點大叫了！

因爲一轉身，我竟然看見了帥帥的深褐色眼瞳男孩！

他穿著白色的風衣短夾克，頭髮洗得鬆鬆的，一臉朝陽地走到我面前。

哇！今天還戴著帥氣的雷朋太陽眼鏡哩！眞是漂亮的男孩！

啊，他爲什麼突然出現了呀？

不要怪我意亂情迷

面對再度出現眼前的深褐色瞳孔男孩，實在無法掩飾內心的愉悅。誰不喜歡漂亮的人間造物？我可不願說謊，這與道德無關，是個人品味問題。

面對著深褐色瞳孔的男孩散發出陽光似的眼神中，在他深邃多情的眼瞳裡，我有種掉進時光隧道的感動，墜落在一個我從未造訪過的時空，有著陌生又熟悉的感覺：

那是古老的巴達哥尼亞，印地安人與自然搏鬥尋找領略生命軌跡的回答。女人是細心的整理蒐集者，照顧著獸皮、細軟和供休憩的家；而男人是狩獵者，用勇氣和完美的技巧捕回獵物，驅逐飢餓與寒冷的掙扎。

強壯的女人肩挑起食具、帳篷，跟在男人的後頭等待獵物的進籠。相隔一公里是對男人尊敬的距離，直到男人燃起捕到獵物的白煙訊息，女人才可以帶著烹飪器具速速趕近前去，剝去獵物的皮、斬切獵物的肢體、烹調獵物的肉。削尖獵物的骨頭，是爲了準備縫補男人的皮衣。這些都是女人的活，男人只在狩獵後，靜靜看著營火，什麼都不做。

女人用獵物煮出來的油，抹上自己裸露的身體，當成寒冷水底的保護液，因爲巴達哥尼亞的女人是最好的潛水伕，動物的油脂可以讓女人在南極海域的深處不以酷寒爲苦。女人

我喜歡Punta Arenas的樹。

從木船縱身向海水一躍，當濺起的水花未歇，她已將最肥的南極鮭魚握住。平靜的海水，此時的船邊，飄來了清晨最新鮮的白霧。鮮鮭魚的滋味，在小船裡的灶上，慢慢烹煮……

「我一定要送你們去車站。」深褐色眼瞳的男孩打斷了我心思在時光中的旅行，用柔柔的聲音說明來意。「我認識那位司機先生，我會請他照顧你們，沒有問題。」

啊！我剛剛正在想，你在博物館裡所說的巴達哥尼亞印地安人的故事哩！就是你在博物館述說的那些曾經是當地印地安人的生活方式。

眞高興再度看見你，眞高興你那麼細心。幸好現在我不必遵照印地安女人的生活方式，跟在你和老德先生後面，相距一公里，還要扛行李，想到都要昏倒了。現代的女性若如此被對待，可能會想剝男人的皮……

離旅館很近的小巴士站並不豪華，可是裡頭的氣氛格外親切，人們正喧譁的在討論著什麼事情，還有站內的售票小姐來問我們要不要看早報，超親切的，只是我們沒看見有另外的觀光客。

深褐色眼瞳的男孩替我們將行李放進巴士的行李艙，和司機寒暄了幾句，因爲得趕去機場接新到的遊客，只好與我們道別。

看帥帥的漂亮男孩登上吉普車瀟灑地離去，想起他說希望我們夏天應再來一回Punta Arenas，因爲南極的夏夜，要到清晨三點才天黑，午夜十二點才開始的Party，會讓人快活得痛哭流涕。

那是當然的，深褐色眼瞳的男孩，我不會忘記你……

背叛逃離的巴士司機

暖暖的近午陽光，照在我們身上。暖烘烘的小巴士站裡，長條木椅全坐滿了人，老德先生和我充滿好奇地研讀著每個陌生人的臉龐。

我心底升起快樂的嚮往：多麼榮幸可以和那麼多本地的居民，一起坐在要橫越巴達哥尼亞大自然的巴士上。

無法想像正要向北出發前去的Puerto Natales港，是陰晴不定多風多雨的地方。那兒也聽說是一個叫「百內公園」的入口所在，可以通往巴達哥尼亞的山、草原、樹木、峽灣、深谷、瀑布、冰山，或是遇見奔跑在百內公園中的野生動物……

從這些腦中大自然的景象，讓我奇怪地聯想起史汀，就是英國那位歌星。他不久前得了一個「密絲特拉兒獎章」，他的歌是爲那些在智利軍事獨裁統治期間，被殺害的人的母親和家人而唱。

但爲何突然想起此事？我搔搔腦袋，承認自己常常胡思亂想……

啊，知道了！不是因爲史汀吧！而是因爲他的獎章！

「密絲特拉兒」（註）是智利以自然爲師，寫出美麗詩作的女詩人。一九四五年以頌讚自然的詩，感動了地球另一端的讀者，而得到了諾貝爾獎。

哈哈哈！喔，對了，對了！我竟然現在就是要去女詩人密絲特拉兒出生的家鄉，在她詩中的陽光和雲雨，在她心中土地、樹木的芬芳，將在幾小時內出現在我的眼前，讓我有止不住的興奮和幻想。呀，呀，呀……，原來我的亂想，可以有如此記憶中詩意的激盪。

老德先生被我抓住亂搖肩膀，他不明白何以老婆會因爲密絲特拉兒的詩而發狂。喜歡讀詩的老婆，並沒有因爲這樣而有一些行爲或氣質上的改良……

氣結的老德先生立即找到了逃開的理由：

「妳看，有個自動販賣機，我去買杯礦泉水，待會兒巴士的旅途還長。」

「嗯，好吧！想得眞周到，說得眞有理，那快去快回！」

雖是這麼說，但有種奇怪的感覺，就是女人永遠最善用、男人永遠不會懂的那種第六感：我看看巴士站的人，爲何一下子走了大半？

我緊急揮手叫著已經買了水正往回走的老德先生：

「不對，不對，怎麼一下子大家都不見了？」

老德先生一副覺得我大驚小怪的眼神，再次把深褐色眼瞳男孩的話重述一次：

「『巴士司機是我的好朋友，他會照顧你們。』況且我們的所有行李，都已放進巴士的行李箱，沒理由我們會錯過這班車。」

我伸頭看看窗外停巴士的停車場，覺得自己或許眞的太過緊張。可是，等一下！你看，你看呀！那部寫著往Puerto Natales的巴士已經慢慢離站，本該通知我們上車的司機就在駕駛座上……

「啊──不要走，不要走，求求你呀!!」

我狂奔出巴士站，邊跑邊叫，揮著手中的白色外套，只求司機先生爲我們踩一下煞車。老德先生愣了一秒，不相信我們已被巴士司機拋棄，他丟了手中的水杯，跟在老婆後頭，也死命地跑。

「救命呀！救人呀！」我的喉嚨都叫痛了，巴士卻毫無停下來的意思，我心中閃過將再也找不到我們行李的恐怖感。

「哇——」

戀人間的背叛就是愛的逃離，我想不出還有什麼藉口。沒有了愛，什麼情感都化爲烏有。巴士司機此時就像個背叛逃離的愛人，絕情又冷漠，連頭也不回一下。

恨恨地在心中說：「我問你呀，我問你！那漂亮的深褐色眼瞳男孩不是你的朋友嗎?!」

我跑近巴士的車尾，開始用力邊敲車身邊跑，巴士還是不停。

這時前方的紅綠燈改變了燈號，巴士緩緩地停在紅燈前。

我衝到車門前用力地拍打，車門才緩緩開了。老德先生和我，氣喘吁吁地跳上車。眞感謝陌生街口的這座紅綠燈……

眞愛辯解是多餘

一臉錯愕的我們上了車，還沒站穩，司機先生就一個猛踩油門，駛動這輛本想拋棄我們往北方而去的巴士。我扶住老德先生，兩個人差點跌倒。

我們確實被嚇到同時怒氣沖沖，揮舞著手臂想理論，卻找不到有效的語言溝通管道。

司機先生笑了一笑，五十開外額頭有歷經風霜紋路的他，露出了像孩子般的眼神，那麼的淳厚可愛，讓人看了就直想將任何不快一筆勾銷。

他聳聳肩，滿臉無辜，口中連半個西班牙文也未吐出，就讓我幾乎相信他曾用力尋找我們。

好吧，好吧，就像熱戀中的情人們爲了小事冒火爭辯，不管哪一方覺得自己再有道理，旁人都會冷冷的認爲情人們不過是各執一辭。

因爲誰都會覺得自己最好，才會讓愛情中的關係越來越糟。而戀人的復合也是一瞬間的事，當旁人熱烈地看出是非對錯、誰壞誰好，情侶的手早就又牽緊了，把一切傷心和朋友的關心，全都忘掉。狂戀中的人兒，對眞愛的辯解總是多餘。

我嘆了口氣，冷眼看看老德先生。他知道我心中早已把司機先生亂踢亂罵、恨他恨得繞著地球飛了好幾回！老德先生對我微微一笑，覺得如果再誇張要求解釋，只不過是自討沒趣、誇張無聊，我們還不如趕快坐到位子上，慶幸行李沒丟、老德先生還在我身旁，這樣就很好了。

坐定之後，才發現自己一頭一臉的灰還有滿嘴的沙，哈！原來是追巴士追得太忘我，車後揚起的塵埃啦！我們互相指著對方取笑，又替對方拍掉沙子。而巴士上的所有乘客，似乎也很能欣賞我們的笑鬧，都笑臉以

PUERTO AGUIRRE

對，這種感覺在旅行時確實很棒！

車窗外的藍天，還有草原上放牧的牛羊，巴士奔馳在一望無際的海岸線公路，在日頭下，自然光影變換中的一草一木，讓巴達哥尼亞在我記憶中的景致，又增了幾分多彩多姿。

我懷疑自己爲何在旅行過那麼多地方後，才來到了巴達哥尼亞？這兒在別處也有的景物，卻因爲靠近南極的關係，產生了更多巧妙變化。這不是我胡亂說的話，喜歡旅行的人，從無力對自己心靈所感受的景物造假。如果你問我喜不喜歡巴達哥尼亞，我會說，愛大自然的人，應該都願意把這兒當成回憶中空氣清新的家。

「喂！眞正的巴達哥尼亞我們還沒品嘗到哩！」

老德先生又認眞讀起旅遊指南，我確定他已經太認眞，把所有相關資料都研究過幾百遍了吧？不過他是印證型的旅行者，我是亂想亂走型的老婆。現在他開始擔心，我們即將展開五天四夜的國家公園旅行，會不會老婆因爲追野生動物而跑不見？他決定一到Puerto Natales，有機會就買好詳細的健行地圖，以防萬一。

嗯，好吧！讓我先看看沿途的風景吧！

還沒半個小時，安靜的巴士中，輕輕傳來後方鄰座乘客的鼾聲……不知怎麼會這樣，我的心情眞的就完全被影響，完完全全地放鬆下來。

眞是甜甜的、舒服的感覺呀……

〔註〕一九四五年諾貝爾獎得主，作品有：「智利之歌」（一九六七）、「砍樹」（一九三八）等許多美麗的詩作。

夕陽下溫柔的小城

巴士緩緩駛進了傍海的小城Puerto Natales，我看見岸邊一棟黃色的維多利亞式木造古房，應該就是我們要住的旅館吧？

果然沒錯，老德先生碰碰我的肩：

「喂，跟在網頁上看的旅館介紹一樣，很漂亮！」

我開心地笑起來，點點頭，卻不是因爲旅館，而是看見路邊一家小店舖門口，正懶懶躺著一隻拉不拉多犬，跟我家那隻笨阿福狗一模一樣的狗，好可愛呀！

我大叫起來，要老德先生待會兒一定要在放好行李後，跟我一起來找這隻阿福玩！

老德先生爲了不讓其他乘客被老婆這種愛狗人士的叫喊嚇到，趕快說：「好好好，妳別叫，先安靜看那家店叫什麼名字，要不然待會兒哪裡找得到？」

這招果然見效，老婆立即閉嘴開始要用筆記店名。

不料巴士一開過我們將留宿的旅館，就一個大轉彎，轉入有點小斜坡的路上去了。

哇！店名沒看到呀！老婆失望地又大聲叫了起來，還沒等到老德先生有反應，巴士就來個緊急煞車。啊！到底站啦！老德先生快快提起背包要下車，老婆也趕快起身，免得巴士突然開走。畢竟幾小時前差點被司機晃點的恐懼，現在還有些心情暫留。

漫遊黃昏碼頭

老德先生跳下車門，回頭看動作遲鈍的老婆被後頭也急著下車的乘客超了前，還距下車好幾步哩，就對我聳聳肩，我也跟他擠擠眼。沒辦法，我的動作可是優雅派的嘛！唉！身手不矯健的我只好這麼安慰自己。

再看超前我要下車的人，不就是剛在路邊招手上車的智利印地安女人嗎？她笑嘻嘻地跟司機先生道謝，接著就伸出手，遞給司機先生一張鈔票，司機先生也滿高興地接受了這個非正式的道謝車資⋯⋯。厚厚，原來是這樣呀⋯⋯，盡在不言中。

岸邊打水漂的孩子。

我跳下車，看見老德先生跟一位蓄著鬍子的胖先生在交談。他的鬍子比頭髮多，肚皮比胸口高，身材五短，不過黝黑結實，面容有點像日本人，轉過臉看我時又像南美人了。他一見我，就趕過來幫忙我提背包，原來是我們國家公園的導遊，特地來車站接我們，看他伸手提我行李的臂膀，覺得他只消輕輕一捏我，我的身體就會被捏成一張蛋皮。哇！眞是很壯，一定是天天登山練出來的體型。嗯，跟著這樣的國家公園導遊一定很安全吧！只是長相有點抱歉，不過當然是跟那位深褐色瞳孔的男孩比啦！

「喂喂喂！」我在心裡叫醒自己，「妳是來百內國家公園健行的，幹嘛抱怨導遊的長相呀？搞清楚點！……」

看來我是理智型的人，呵呵！

星期日的港口，無聊的本地青年。

鬍子導遊將我們帶到了旅館，先交代了明天的行程，就走人了。原來明天沒他的事兒，我們得先自己去坐一天的船看峽灣冰河，第三天早上才會出發到百內公園，從這兒還得坐三小時的車，繞山路進去。

我惦記著去看阿福狗的事兒，辦完住房手續就急急要出門去。老德先生則是肚子餓了，想找東西吃，也剛好是吃午飯時間，所以沒參觀住的旅館，就上街去了。

可惜阿福狗早沒了蹤影，不過倒是因爲是星期日的下午，在美麗的碼頭看見許多旅行的遊客。有背背包的、有跟團的、有當地的小孩，還有更多可愛的狗！孩子在碼頭的岸邊打水漂兒玩，狗則跳進水裡去追石頭，那景象，趁著日頭日漸西下的峽灣山頭，相當寧靜舒服。

逛過小鎮，又跟孩子鬧著打水漂兒，又把沒吃完的麵包跟路邊的野狗分了，累了，該回旅館了。哇！洗個澡再到咖啡廳喝杯智利紅酒聊天，眞是一大享受！兩個人快樂地回到旅館，拿房門鑰匙的時候，櫃檯的先生說：

「不好意思，那邊有位先生已經等了你們兩小時了。」

他指指旅館大廳旁面海的那張沙發上的一個人。

誰？誰會在智利的旅館中等我們兩小時？不會是鬍子導遊啊！那背影不是他呀！

會是誰？

夕陽是愛人心口藍色的光芒

沙發上的人回過頭，看見我們，眼神雖顯出陌生，卻還是起身朝我們走過來。

我看見的這個人，是個滿頭棕色鬈髮，套了件純白薄棉紗敞領衫的年輕人。穿著洗得泛白了的牛仔褲和登山鞋，身材雖不高大，卻是讓人感覺舒服的氣質。

打過招呼，證明我們就是他在等的人，他用非常溫柔的語調跟我們道歉。原來他才是我們去百內公園的導遊，因為一星期前帶另外的登山隊去百內公園，回程上遇了些天氣的阻礙，根本沒法在今天中午前趕到這兒跟我們會合，才請同事鬍子先生來代班。幸好下午趕回來，又怕通知不到我們，才巴巴地等了兩小時。

啊！在聽著他說話的同時，我發現他也是個迷人的帥哥哩！雖然現在的神態在登山一週後是如此疲累，卻依然有著深深的溫柔。在他頸前，用皮繩栓成的帥氣頸鍊，繫著圓形的藍色寶石，做成了太陽四散光芒的樣子，再用純銀包成邊，配上他捲捲的髮型、健康棕色的皮膚、黑黑有神的眼睛，嗯，超有氣氛的帥男哩！想必這條項鍊一定是他愛的人送他的吧？

從旅館大落地窗可看見的夕照快沒入海平面，再看他戴著的藍寶石太陽項鍊，有種淺淺的詩意，一種「夕陽是愛人心口藍色的光芒」的詩意，我也不曉得怎會從心上冒出了這樣的話？

好高興呀！我們的百內公園導遊是這個藍色太陽項鍊男孩……

你的臂膀是世上最溫暖的港灣

藍色太陽項鍊導遊跟我們道了晚安，很快地走出去，跳上他停在飯店門口的黑色藍哥吉普車，快速地駛進已經完全暗下來的港口夜色中。

眞是辛苦！看來是位很負責任的好男生，有條有理地把自己份內的工作執行得很好，好像是老德先生那一型的人物：事情不弄清楚、不做到讓自己滿意，就會覺得好像這一天沒用心去過。當然，這種處世態度，對我這種專找麻煩的老婆，是太難太難理解。呃……，不過這樣的心情，可不能對老德先生說呀！他會開始很用心地告訴我怎樣才是對生活負責的方式，哇！我想到都會累！

果不其然，老德先生馬上就說出他認爲這個人很認眞，我們接下來的這幾天，一定可以從他那邊學到很多關於百內國家公園的事。看吧！我眞的有點了解老德先生哩！

不過我也同意，跟一個戴著藍色太陽項鍊的陽光男孩一起旅行百內公園，光是看他，就會讓我感到他內心對大自然的喜愛吧？對大自然喜歡的人，當然是聰明又有趣，我最喜歡這樣的人啦！是，是，是，你一定會認爲我該正經一些，可是每個人看事情的角度不同，就像我超想知道藍色太陽項鍊導遊，他對待生活的方式，又是如何的呢？

我是對萬事都好奇的無聊旅行者，謝謝……

我跑到旅館大廳的落地窗前，看漁火閃爍的港口。

「看呀！有大船停在港邊呀！好大的船！是我們明天要坐

去賞冰川峽灣的船嗎？」

老德先生搖搖頭，老婆的問題實在太淺薄，峽灣哪需要這樣的大郵輪？這是從阿根廷駛來的客輪，載著許多的旅客，在這南極海域親水航行一遭，看看這地球南端美麗廣大的冰和海，賞一回冰河時期冰川壯觀的千年暫留。

看看時間，已經十點半，旅館的餐廳才慢慢坐滿了食客。雖是地球的南端，生活還是保持著殖民者南歐西班牙人很遲才吃晚飯的習慣。

聽說這家旅館的鮮魚料理美味爲本城之冠，可是我卻有點身心懶散，明早得七點準時到碼頭集合，要不然船開走，如何去看美麗的冰川峽灣？決定明天再來好好大吃一頓鮮魚。

喜歡睡眠的我，總不願錯過進入夢鄉的時間，雖然不浪漫，但也沒有熬夜失眠換來的傷感。我是懶惰的人，沒興趣和人稱「文思泉湧」「交集百感」「孤單又美麗」的夜糾纏。

老德先生經過旅館在電梯口擺著的郵筒時，「喔！」了一聲。

「喂喂喂，做什麼！」我叫著說，「你不會是已經買好明信片了吧？」

這讓我大爲緊張，老德先生聳聳肩，覺得自己明白互寄明信片的規則，此時不必對我做任何說明，我則快速對他這一整天在小城中逛街時的一舉一動開始回想。

不會的呀！根本沒機會去買明信片的呀！等一下，有一小段時間，我在照相，好像他有到街口，消失了幾秒鐘。是那個時候嗎？

慘了！我都還沒買呀！哇！老德先生，你心機滿重的喔！

睡著之前，我想探他的口風。老德先生總是笑著搖頭，他是愛玩遊戲的好手，他也知道如何將遊戲規則遵守。此時的他輕輕放任了睡神的溫柔，只剩我在那兒懊惱地尋著我沒想到偷偷買明信片的藉口，有點怪自己粗心。不過此時也覺得很安心，因爲靠近老德先生的肩膀，對自己有個可以一起玩孩子般遊戲的伴侶慶幸。你的臂膀是世上最溫暖的港灣，讓白天裡的沮喪、悔恨、開心、傷心，都可以放下來，靜靜停泊的地方……

好吧，既然要這麼諜對諜，那明天開始，我也就不客氣了……

PUERTO AGUIRRE

我真的懂愛情嗎？

我們都說自己懂得愛情，當愛人對我們百依百順之時。

我們都以爲自己會處理愛情，當愛人沒有說要從你身邊離去的時刻。

我們都說愛情帶來的是春天，那是當愛人還沒對你說愛上你，等於愛上了一場錯的當兒。

我們都說愛情讓世界完美無缺，當愛人不再全心全意溫柔對待你，完美的定義又跑到哪裡去？

小船像戀人般依偎在甜蜜的海上

清晨的港灣，平靜無波。我凝視著窗外的海，有兩艘繫在碼頭上的小船在那兒擺呀盪的。它們停泊得那麼近，像依偎的兩個人，無言無語、無欲無求、無畏無懼，沉浸在那充滿甜蜜的海面上。我不禁幻想起小船是剛剛開始相愛的兩個人，他們懂得愛情、會處理愛情，他們在這巴達哥尼亞的秋景中懷抱著春天，相愛的感覺充斥在完美無缺的世界……

「你看呀，」我對剛起床的老德先生說，「你有沒有好好看過那兩艘船呀？」

老德先生看看我，搖搖頭：「怎樣？」他可能覺得老婆要說出很詩意的感受吧！

「我覺得那兩艘船是旅館放在那邊的ㄟ！」老婆竟然這麼猜測。

「什麼意思？」老德先生冒出了今天的第一個大問號。

「昨天來這兒，我就刻意看了那兩艘船，它們都沒動呀！我又用望遠鏡觀察船裡面，完全破破的，不可能有人會使用這麼破爛的船；而且，它們停泊的位置跟角度，從旅館前面房間窗戶望出去都可以看見，哪會這麼巧？還有就是，它們剛好會在日出日落時都曬得到漂亮的陽光，所以我斷定，這是旅館擺在那邊的裝飾船！」

不用說，老德先生陷入一陣無語。一大清早，唉喲喂呀！老婆就可以這樣怪怪的扮演福爾摩斯。

因爲是這家旅館推出的套裝賞峽灣之行，所以旅館準備了

清晨要出發去看冰河，港口很安靜。

午餐盒給我們帶著去坐船。今天的賞冰川行程來回要耗去一整天，峽灣之間也不會有餐廳，哇！這讓我很興奮，一整天都在峽灣中間的船上度過。厚厚，好玩好玩！

望遠鏡、照相機、午餐盒，小小的背包裡裝著衛生紙和膠捲，我們的裝備像是小學生去遠足，不過沒有老師帶隊。藍色太陽項鍊導遊也是明天才會出現，所以我們得自己去找船坐，聽說就在第二碼頭登船。老德先生很怕去錯碼頭坐錯船，那樣就會稱了搞笑老婆的意，我最喜歡的這種有趣的意外之旅，是老德先生的夢魘。於是他一路把旅行社給的確定行程單跟碼頭號碼對了又對，老婆則什麼都不管，只想上了

旅館前的樣板船。

船看旅館準備的午餐盒裡有些什麼好吃的東西，因爲餐盒提起來沉沉的，似乎料不錯喔！讓人眞好奇……

碼頭上有兩艘船，左邊和右邊，不同的目的地。我跟著人群往左邊走，卻一把被老德先生拉到右邊去。

喔！眞的差點走錯啦！可是去坐左邊船的遊客也提著跟我們一樣的午餐盒呀！怎麼會錯呢？老德先生覺得老婆的旅行思考方式實在奇特：「請妳認船，不要去認午餐盒！」

上船前，一位戴著小貝雷帽的服務人員跟我們要護照，船票跟護照名字符合了才給上船。原來這些冰川都有挨到安地斯山脈，從水路也是會越過邊境，所以對外來的遊客得特別做些身分確認。

峽灣冰川如情人間愛的傷痕

「冰川在哪兒？」老婆還沒等船開動就開始發問。

這讓老德先生又開始無奈地眨眼：「妳要讓船行駛得遠一點，駛進與大海連接的峽灣才能將冷冷的冰川看見，兩旁窄狹陡峭的山壁，是整個大山在冰河時期被冰川狠狠推開的痕跡。那上頭數萬年來的冰礫，摩擦著堅硬的山石，讓山有了側削成峰的險峻山頭，脆弱的礦石就沉入深深不見天日的海底。這海上的山石窄巷就叫峽灣，而冰川，就是冰河時期還未融化的冰棚，正在倒退回山中，雖然我們看起來冰川正在往前流到海裡。」

「等一下！你說冰川是在倒退？你說峽灣是被冰砸出來的海上窄巷？這太讓人驚奇！我從沒想過冰塊竟有這樣的威力！」

LAGUNA SAN RAFAEL

這可讓我的思考完全亂成一堆，失了交集：

漂亮令人驚嘆的峽灣冰川，像是情人間的關係，越有深深歲月摩擦而削出來的心情風景，越學會了互相包容的智慧和勇氣。在靜靜的守候中，緊緊相守在一起。

是否只嚮往甜蜜的愛情，最終會是脆弱的石塊沉入海底；而偉大的愛情，卻因爲承受住了傷痕摩擦，在相愛中，才在彼此的心中永遠聳立？

倒退中的冰川，像激情嗎？愛情的傷痕，在激情消退後，才見證著眞愛嗎？

眞高興我開始有點懂了峽灣與冰川的演化，卻發現自己根本不懂愛情。

船慢慢離港，往數萬年前被冰河穿過的大山中間駛去……

女孩，妳的地心引力在哪裡？

戴著小貝雷帽的船上服務生，不知何時冒出來發介紹簡介給大家。他遞來簡介時，嚇了我一跳，我原本正想偷看旅館給準備的午餐盒裡是什麼料。

「謝謝！」我對他笑著說，手裡的餐盒差點打翻。

「嘻嘻，」老德先生幸災樂禍地笑出來，「好奇的人會打翻自己的午餐……」

我假裝雙手叉腰，在清晨的峽灣上來個好笑的潑婦罵街，不過一斜眼，看見船艙另一邊鄰座，一家三口的日本家庭正在偷看我的誇張動作，嗯，好吧，算了，還是保持我像冰山一樣的氣質好了。

日本媽媽的粉底在照進來的晨光中顯得很蒼白，紅紅的唇有唇筆畫出來的唇線，整個臉除了臉型，全是工工整整化好的。日本女人們的同一種規格化妝法或一定要化妝的思考模式，讓我覺得日本女人都沒有自己的臉。她穿著時髦的Burberry短立領風衣，背的小背包也是橫直格同品牌，她看著窗外，卻將眼神放在心思的某處，她沒有隨著風景移動而表情豐富，雖然她胸前掛著望遠鏡，她卻連碰也沒碰。

日本爸爸坐得筆直，鱷魚牌的白底黑橫條馬球衫看來是全新的，因爲還看得見從包裝紙拆封後的摺痕，他正在讀智利的旅遊小手冊。

十七、八歲的女兒穿著厚底的摩登球鞋，頭髮染得很黃，粉底擦得比日本媽媽還厚。說不出來女孩到底長得好不好看，只知道粉底在她年輕的肌膚上，是一種不必要的裝飾。因為粉底和化妝蓋去了眞實的性格，就像日本成千上萬的少女，她可輕易被其他女孩替代，因為她們沒有自己的有性格的臉。

跟智利的大自然一對照，這三個人彷彿依然還生活在萬頭鑽動的東京，隨時看著別人，也有隨時被別人看的莫名心情。

看得出來正值青少年期的女兒，對與父母一起旅行有多憎恨。她戴著耳機，把音樂放得很大聲，她不看峽灣、不看冰川，只把玩著自己左手中指上戴著的有著大大水藍色石頭的戒指發呆。

相較於日本家庭，船艙中還有好幾對一起旅行的年輕人，都是十七、八歲。歐洲人的父母鮮少犯東方父母的這種錯誤，父母才懶得帶著這種開始要試探世界、對青春冒險年齡的小孩去旅行。年輕人跟朋友一起，或跟情人一塊兒，這才爽快呀！他們有的約了上甲板去曬太陽，有的在拿望遠鏡看海魚，還有兩個正愛得分不開，頭靠頭坐在一塊兒，動不動就嘴對嘴濃情蜜意地吻起來。

閱讀他們表情豐富、嬉鬧眞實的臉，這才是青春。

在峽灣中看見青春的色彩

在峽灣中的小船上，突然發現青春像是讓心漂浮的東西，是生命最輕巧的創作，是歲月最纖細的軌跡，是整天飄忽在紊亂思緒中的尋覓；直到遇見了讓你心安靜的另一顆心，才讓青澀的世界染上了最瑰麗的色彩。讓兩個飄逸的生命因為愛情而有了地心引力，可以降落在自己覺得快樂的所在。

白白粉底的日本女孩，妳的地心引力在哪裡？

你是還在與十七歲以上小孩一起旅行的父母嗎？

船不新，座位也不是挺豪華，不過服務卻很令人滿意。也就是說該有的一應俱全：行程簡介、乾淨的廁所，有海獅出現時，開船的人就趕緊用破破的擴音器叫大家看，有海鳥聚集的小島就叫大家快上甲板拍照。

小貝雷帽不時會出現，手裡拿著放了熱紅茶的托盤，哇，讚！我高興地叫起來。在冷冷的清晨空氣中，喝杯熱茶，眞是人間大享受！不過，紅茶眞的很甜，喝進去覺得喉嚨都快黏住了。

年輕人轟地跑上甲板，原來第一個要看的冰河到啦！

冰河叫—— Balmaceda 。

Balmaceda冰河。

是在海拔兩千零三十五公尺的山上流下來的冰河，喔，不對，是往回「倒退」的冰河。

破破的擴音器又開始介紹了：

「十五年前呀，這個冰河的冰舌還可觸碰到海面，現在只有一半在山上……」

哇，眞的哩！好大的冰河，不過就像冰川的演化，冰砸出來了峽灣，消退中的冰就成了山上的冰川。

大家轟轟跑下船艙，因爲毫無預警地突然下起了大雨。

我看看行程簡介，上頭說，去程四小時，回程四小時，今天一整天就是「泡」峽灣，可是問題來了，要什麼時候才吃午餐盒呢？

老德先生聳聳肩。

「如果到了下一個大冰河，我就要開始照相，我可不要帶這個餐盒下船看冰山。」我說，「先來看午餐盒裡有什麼料好了，再依內容決定。」我提議。

原來好奇的怪怪老婆還是沒忘記要看午餐的內容，雖然現在還不到十一點。

打開餐盒：奶香鮮魚排＋蔬菜飯＋醬汁鮮菜沙拉＋全麥麵包＋小餅干＋乳酪＋橘子汁＋青蘋果一個＋紅蘋果一個＋礦泉水一瓶。

哇，這麼好的午餐喔！看得我口水直流；難怪提起來這麼重。

嗯，那就這樣吧！我們提早吃午餐，好待會兒下船後爬山去看塞拉諾（Serrano）冰河。

不過，這卻是個錯誤又好笑的決定……

情人間才感受得到的磁力

PARQUE NACIONAL BALMACEDA

只關心何時吃午飯的老婆，其實發現自己比那缺少地心引力的日本女孩好不到哪兒去，頻頻看錶，現在差十五分到十二點。摸摸肚皮，好醞釀點「餓」意，因爲午餐盒的魅力實在不小。

老德先生比較有學習精神，現在天氣突然又放了大晴，他正拿著望眼鏡在那兒看海鳥。我們的船剛才是穿過一片大烏雲的樣子，難怪可以一秒之間變雨變晴。終於開始體驗傳說中巴達哥尼亞陰晴不定、多風多雨的有名天氣啦！

我最喜歡注視老德先生，當他很專心地在注視著什麼東西的當兒，有種很可愛的單純，就會在他的整張臉龐慢慢漾開。尤其是他看見超有趣的野生動物行爲，會像小孩子那樣開心地微笑，然後說：

「喂，妳快看呀！……妳別看我啦！看那邊呀！好好玩喔！」

但我總是覺得看他要有興味得多呀！嗯，眞奇怪！

小船在靜靜的峽灣中行進著，那份巨大的寧靜，是小船轟轟的引擎，或剛才那陣大雷雨所不能破壞的。在極至安靜的南極峽灣，我腦中研究著情人間的互相注視，是一種天然的吸引嗎？那是磁力的具體表現嗎？是彼此吸引的溫柔表情嗎？在每一對愛侶之間，是否都有只有彼此才看得見、感受得到的一種磁場呢？

啊，你是否也曾喜歡這樣注視著自己的情人，看到了別人都看不見的溫柔呢？

「情人眼裡出西施」啦！就是這樣嘛！唉，自找麻煩，想那麼多。

磁場和情場

我接過他遞過來的望遠鏡，看了半天，終於看見幾隻翹著屁股的黑鳥正在捉魚，牠們把脖子探進水裡，剩下鳥尾和兩隻鳥腳在水上踩水。

「哇，牠們好會憋氣喔！有幾隻都不用呼吸喔？」老婆叫了起來。

老德先生裝出學者的模樣，攤開了厚厚的旅遊書來爲我解開迷惘：

「這種水鳥學名叫Phalacrocorax olivaceus，在山川、湖泊和麥哲倫海峽生長，牠們是潛水好手，只要是小小的游魚對牠們來說都很可口；有時喜歡獨自捕魚，有時和愛人一起飛來飛去玩耍遊走。」

「啊，這樣啊！有聽沒有懂啦！那麼長的學名喔，誰記得住啦？我看就叫牠們黑鴨子算了。」老婆超沒學習精神地說。害老德先生搖搖頭，不相信老婆還曾經一度參加台灣的野鳥學會去賞鳥哩！

唉，我是隻笨鳥，好啦，好啦，我承認。喂，十二點了ㄟ，怎麼那個大冰河還沒到啊？老婆向四周又瞧又望，只看見曲曲折折的美麗峽灣好像沒個盡頭，卻沒看見塞拉諾冰河。

老德先生太了解老婆這句問號完全是醉翁之意不在酒，更不在峽灣冰川之間，嘿嘿，對啦，就是在可口的午餐盒上。

「確定要現在吃嗎？」老德先生又問了一次。

「我知道你爲什麼問。」我說。

「爲什麼？」老德先生被我反問得糊塗了。

「你一定是覺得船上都沒人在吃午餐盒，對不對？」老婆自以爲掌握了全盤的狀況，「因爲大家看別人都沒在吃啊，所以大家也搞不清該何時吃，懂了吧？如果我們先開動吃午餐，大家就會開始吃啦！」笨老婆講得洋洋得意。

講完我看看日本家庭，三個紙餐盒擺成一列，規規矩矩，但是沒意思要吃的樣子。老德先生則揚揚眉，覺得老婆的話不可聽。

不管啦！我開始打開餐盒，很高興地聞了聞超讚的魚排，捧起便當盒就開始享用午餐。

日本家庭則文風不動。

老德先生也餓了，就聽了老婆這個很錯誤的建議。他先把沙拉吃了，再開始吃魚排飯。我則抹抹嘴，把鮮魚便當解決了。

南極的磁場便當

接下來的情況眞是一團亂，正當我打開生菜沙拉要吃，而老德先生捧起滿滿的鮮魚便當要吃時，破破的擴音器竟傳來：

「親愛的乘客，我們馬上要靠近小港口，請大家準備下船看冰河。」

咦？冰河？沒看到啊！怎麼會就要到啦？我往船外左右看看，船眞的向一個小碼頭靠近。

老德先生一聽則很緊張，想快吃完便當，就在咬魚排時，「碰！」船靠岸了，撞了一下船頭，一陣搖晃，只見老德先生一個沒抓牢，飯盒在船的搖晃中飛到了半空中！

「啊……！」老婆大叫了起來，因爲飯盒直直地向我飛過來，夾雜著蔬菜飯粒呀！

嗯，沒錯，老德先生整個餐盒都倒在船艙地板上了。還好，當時乘客大多都提前先上了甲板等下船，我們的窘境沒很多人發現。

可憐的老德先生，午餐就這麼被我搞得一團糟。嗯，眞的很抱歉，是我的爛主意提前吃午飯……

當我們用最快的身手清理好亂局，小貝雷帽下到船艙來要我們下船集合，大家要出發了。

我們答應說馬上來，我趁機故意問老德先生：「你會不會覺得南極的磁場很強呀？把你的飯盒都震到半空中去啦！嘻嘻!!」

老德先生苦笑著搖搖頭，牽著我的手下船去看冰河，不過，我知道他再也不會相信笨老婆的任何建議啦……

冰山情人

爲了表達歉意，下船之前，本來不想被午餐盒麻煩的我，偷偷地在背包中放了我餐盒中的小麵包、礦泉水、乳酪和蘋果，雖然有點重，不過待會兒也不知道會走多久山路才看到冰河，萬一老德先生肚子餓了，我就會很不好意思。

嗯，廢話少說，我們已經殿後了，同船遊客都往一個森林小棧道上走進去。快跑，快跑，眞怕會被丟掉。

小貝雷帽留在甲板上吸紙菸，也眞辛苦，一早上都在泡茶送點心，該休息休息，反正塞拉諾冰河他可能看過幾百遍了。跟著遊客下船的解說人員，是一直在航行中用破破擴音器跟大家溝通的鬍子先生。

鬍子先生白襯衫黑西褲，有點圓圓的身材很可愛，他正很認眞地向跟著他的遊客們一路解說植物。我用力擠過大約二十人的隊伍，來到最前頭聽解說，被我撞到的人都送了我一堆白眼，唉呀，沒關係啦！不要那麼小器咩！

老德先生覺得老婆氣質很差有點丟臉，只留在隊伍後面。可是我擠到前排，卻聽不懂，鬍子先生只會用西班牙文解說植物，船上的英文介紹是背來的！哇，慘了！鬍子先生你英文不能多背一段嗎？

路旁岩壁上的野花眞是漂亮，還有各色的小野果，鬍子導遊爲了安慰我聽不懂解說，還一路特別摘可以吃的小野果請我嘗嘗，嗯嗯，野果子眞的有沁心的甘甜滋味呀！

隊伍開始拖長了，本來暗暗的森林，已到盡頭。

攀著一根粗大的枯樹根，我們爬過一個傍著小河流的土丘。當我一站上土丘，忍不住「啊！」一聲地叫出來！前面的同船人都與我一般會心一笑！哇！哇！哇！我看到什麼啦？

我灼熱激情中的你冷冷的容顏

碧綠水色的山湖，有著分散的大小冰塊飄浮；冷冷的空氣迎面吹拂，閃爍陽光在冰塊上起舞。大塊的冰塊身姿雄偉，有著如水上宮殿般的韻味，折射後的光束成了冰宮上的牛奶藍色線條，竟讓我心陷入一陣迷醉。

因從未與這樣的景象交會，對心情有點失去能力描繪，「啊！」的一聲表達得不多不少，剛剛好。

冰塊眞的會讓人驚訝成如此？我的感覺只有請你自己來看了才會知道。

試著形容我與這些長年不融的冰塊面對面的心情吧，嗯，好像有點是單戀的傻子突然遇見了對自己冷冷的意中人那樣哩！呀呀呀！「我灼熱激情中的你冷冷的容顏呀……」

一位我猜是教授的美國遊客向大家貢獻著他的知識：

「這是典型的冰川槽谷，V字型的山谷接連處總被冰河雕鑿成U型，待會兒還會看到好幾個像這樣的小湖，就像山丘間的美麗串珠。」

「喂喂，借問呀，那這些大冰塊是哪兒來的呀？」

美國人揮揮手，對我說：

「這些都是冰川冰舌上最小最小的冰塊渣子，在山谷中被水流擠進山湖中的呀！」

什麼?!這些大得像六層樓高的冰塊是渣子而已喔？

冰塊渣子就這樣的話，那塞拉諾冰河又是何等體積呀？

我加快腳步，要去看更讓我震動心靈的大冰河……

正要往前走，聽見身後的小河旁，有人大聲說著話。

回頭一看，是有遊客要下山湖中去近距離欣賞浮冰塊，有導遊扛著橡皮艇準備下湖中去了。

我停下腳步看，一艘小橡皮艇只能載兩、三個人，划呀划地，在平靜無波的湖面，幾個有幸靠近大冰塊的人，正用攝

像漂浮在牛奶上的白色浮冰。

影機採集冰和光線所幻化出來的自然奇景。

看呆了。不管是岩壁岸邊的我，還是小橡皮筏上的那幾個人。大自然讓人眞是內心澎湃，卻又無言以對。

雖然我很懶，卻還是爲了更了解這有趣的山谷冰湖，而費事地從我的背包拿出來我的口袋型旅遊手冊，翻到冰河介紹那邊，讀到這段文字：

「……峽灣都在高海拔的山中；有冰河的冰川谷又都在雪線以上。一到夏日，原本結凍得厚實的山壁，因爲氣溫變

EXCURSIONES GLACIAR SAN RAFAEL

化，乾燥的岩石就自裡往外崩解。週而復始，在幾萬年間的摩擦崩裂又凍結的運動中，讓山谷的形貌又陡峭、又多坳口，還夾雜著削尖的角峰……」

眞不容易！我不是說冰河啦，是說我居然被這景色震到可以特別拿出書來唸，而且還唸得津津有味ㄟ……

描述得一點也不錯！當我再往前走時，才看見路徑已變成細窄沿著光禿山壁的陡坡，植物也少了；再定睛一瞧，我們原來不是唯一下船的遊客，遠遠地沿著山壁走路的人已經像上百隻小螞蟻，算不清有多少啦！

咦，老德先生呢？

冰山與記憶的深處

我左右瞧著找他，才看見前頭有個人遠遠地向我招手，呼呼，原來他沒浪費時間，早就走到距離我一大段啦！我這才快快跟上，不過因爲路上除了有植物生長出的地方有些砂土外，其他的山石都給冰凍得又平又滑，雖然還是石頭，不過都已經被冰「馴服」得讓人踩上去有點站不住的感覺。老德先生的腳程很快，他絕對不可能等我，好吧，好吧，讓我來假裝照相，就可以有藉口掩飾自己的走不快。

「借過一下！」比較窄的路段有時只能容一個人爬上去，其他的遊客看我走得慢只好叫我先讓一讓。

你們知道嗎？連日本家庭都領先我啦！

像那位我猜是教授的美國人所說的，一路上都有小小的湖，一個接一個，那裡頭的冰塊又都是不同身姿地在裡頭飄浮著，讓我看了眞是陶醉得發狂。

還好我有趕上胖鬍子導遊，他正停下來跟人講些什麼關於冰塊的事。現在圍著他的人好像還摻進了不是我們那條船的遊客，反正沒關係啦，看到這種震撼人心的大自然景象，覺得世界一定要大同，因爲人類實在太渺小，大方一點可能比較適合現在的背景。

「他說了什麼呀？」我問一個會說西班牙文的金髮美國女孩。

「哇，他剛說這個湖裡的哪幾塊冰有多少歲啦！」雖是翻譯給我聽，她也露出不可置信的表情。

「妳看那塊冰，左邊靠近一棵樹的那個，他說他二十年前就看它在那兒啦，一動也沒動；還有那塊，大家都以爲多則十年就會融化，不過現在越來越堅固，可能水面下的冰很大塊，才不容易沖走融化吧！」她開始照相，我也開始胡亂照起相來。

唉，親眼目睹了南極大冰塊，才懂難怪心理學講人的心就像冰山一樣有著深淺不同的無奈。

露出水面的性格是別人看到的我的好與壞，水面下潛藏的內心世界連自己也無法明白；私藏的祕密我們將之丟到水面下掩蓋，不知那正是好原因讓我們無法快樂起來。

我們想在人前盡可能保持生命的輕盈，不過就像越大的冰塊，越讓人懷疑在水面之下有巨大的無力沮喪和說不出來的悲傷敗壞。

情人間也是如此，總怪是對方讓你無法堅持曾有的堅持，激情過後的平淡日子，會讓人無法動彈地無聊得要死。大大的冰塊就像情人間越來越多的自私，醞釀著想法去攻擊對方水面下的巨大冰石，卻不知自己的無力才是永遠擊不退的爭執……

「嘿——嘿——！」

我聽見老德先生在遠處叫我，通常我落後太多，老德先生就會這樣提醒老婆快一點。

喔，我是眞的太多愁善感了吧！可能是先吃了很讚的鮮魚排便當，很有多餘的體力觸景生情ㄟ，快點把自己這番亂亂幻想打住，我回叫：「嘿——嘿——！」

一抬頭，卻看見老德先生身後的壯麗大冰河景象，張著嘴巴，激動得眼淚差點流下來…

SENO GARIBALDI/CRUCEROS

在靜止不動中愛你到永恆

老德先生看著我快樂地笑了起來，因爲他知道我看見冰河一定會感動得要死。

我本還想繼續照相，此時卻垂下手，感覺原本緊繃著的上半身突然鬆了下來，勾著的肩膀也輕輕地降低，從肺裡呼了一口長長的氣，彷彿我的身體不由自主地向讓我嘆爲觀止的冰河，打了聲無言的招呼。

這怎麼可能？!

一群遊客，一大群，現在在冰河前只是小小的螞蟻點，遊來走去，只把冰河的雄偉不動，襯托得更爲巨大。

我試著拿遠遠老德先生的身影來比較，他只佔去冰河上某個小小削尖的小冰峰的一小角而已！再放開視線往山頭看，不動的冰河是一道蜿蜒的靜止水流，轉折處，如豔陽天之深藍；低凹處，那麼晶瑩透徹，又在陽光未照到的冰塊上，呈現著牛奶白。於是，一條山崖間的冰川，只有幾道大氣魄的折彎，就這麼夾雜著令人目眩的藍色、白色、深藍、透明……，藍色、白色、深藍、透明……，藍色、白色、深藍、透明……

我甩甩頭，不禁覺得這實在沒有理由，一條不言不語的冰川，卻讓我的心突然有著千言萬語的禮讚。如同一對相戀很久的戀人，說出對方最吸引著彼此的關鍵，竟是迷人的沉默，一種承受一切的勇敢，連爲對方受苦受難都不去訴說。

凝結的冰川又像是巨大的安靜，吞噬著心上所有的動盪不寧，所承擔過的眼淚、悔恨、焦慮和灰心，都在這冷冷的冰河前不再有能量對你猙獰。

你說吧，情人間一切的爭執和吵鬧，哪一次不讓你傷心到頭疼，眼冒金星？

那初戀時無法說明的心有靈犀，只用眼神就能解釋的愛戀依依，在相處太久過後的歲月中，竟都變成算舊帳的工具。

情人間越怕消逝的東西，越是在心中鼓譟餵養著對方就要不忠的懷疑。

眞正愛戀著的情侶，一定是超越了這樣的層次，希望時間如冰河這樣緩慢，對愛著的人說：「希望在靜止不動的時間中愛你到永恆……」

巨大冰川顯現人類的渺小

「喂，妳快點過來，我幫妳照相！」

跟老德先生一起旅行，實在不可能有太多的時間給你風花雪月，他的個性很實際，有事回家再想也來得及呀！何必在旅途中浪費這個精神？

那當然，幸好是跟他一起旅行，要不然我一定會只在那裡想半天有的沒的感性心情，而忘了照相！

這時我看到日本家庭，將他們的三個餐盒打開，邊欣賞冰川邊吃午飯。啊，原來是這樣呀！看來我們眞的太早發饞吃午飯啦！喔，不，是我的錯啦！要不然老德先生原本可以在這兒好好吃個午餐說……

我三步作兩步跑向前去，一個不小心，差點滑倒！因爲這邊的山石都曾是冰川經過的地方，早就被冰磨得寸草不生，而且光滑得站不住呀！幸好有幾個身旁經過的遊客將我扶住，要不然眞的會滑下深深的山谷去哩！老德先生驚得趕緊跑過來，唉，這種常出狀況的老婆眞難應付！

跑到老德先生身邊，我背向他，把背包堵在他眼前，說：「爲了贖罪，我特地背了蘋果和餅干給你當午餐……」

老德先生笑了起來，原來老婆雖短路，還是滿細心的。不過他說不餓，還是先照相再說。

「喀嚓！」

我堅持只照一張。

我的臉，對那冰河而言，實在沒什麼可紀錄的，壯闊的冰河可能會很不屑同我合照吧？

這就是我和冰河的合照，地滿滑的，差點站不住！

我在猜，冰河會不會想：「小小的人類，完全不能跟我比擬；我的年歲，也非你一生能看盡。想看我再倒退的冰舌移動幾呎，可能需要一萬個或一百萬個再出生的鄭華娟吧……」

我真的是這麼猜想冰河的心ㄟ，卻也隱隱開始憤恨，人類和自然比起來，眞是太渺小了；而且自然可以留存那麼久，而人類就算是人瑞，也就一百多歲吧？

實在越想越生氣！

「妳好好笑喔！」

當看完冰河走在回程的路上，我告訴老德先生我的心情。老德先生聽了居然說我好好笑?!

「因爲啊，我早就想過這樣的事情啦！」老德先生閃著如孩子般的眼神說。

「眞的嗎？」我很興奮地問。

「是呀，所以妳一說，我就在想原來妳也跟我想著同樣的事。」

「哈哈！眞有意思ㄟ！所以你覺不覺得我們是同等級無聊的人，會去傷這種腦筋？」老婆高興地拍著手說。

老德先生搖搖頭，對老婆的解釋有點不敢苟同。

咦？怎麼我們好像殿後啦？同船的人怎麼都不見啦？連本來在我們後頭的日本家庭也不見了。

老德先生要我走快點，他可不想因爲腳程慢的老婆錯過回程的船，跟冰河睡一夜可是挺冷的喔!!

哇，哇，哇，我們開始向上岸的碼頭跑去……

夢中的印地安女孩

跑過小小的樹林，我們上岸的碼頭就在前面了。

我看見大太陽底下我們的船上，小貝雷帽倚著錨柱，半坐在那兒吸紙菸。菸不離手的他似乎也挺健談，正在跟會說西班牙文的日本爸爸嘰哩呱啦。

沒錯過船安心不少，這時發現跑得很熱，正午的太陽曬得我全身暖洋洋的，就脫了風衣夾克綁在腰上，懶懶地坐在碼頭上曬太陽。有個陌生金髮女孩正對著我坐，老衝著我笑，像是認識我，不過我很納悶，我對她完全沒印象呀！

她看我好像記不起她是誰，乾脆就對我招招手，起身向我走過來。

「啊，不記得了嗎？我們搭同班飛機從聖地牙哥到Punta Arenas呀！」她的笑容眞燦爛，「我坐在妳後一排，我們都對一個小印地安女孩很有興趣，航行中一直逗著她玩呀！想起來了吧？」漂亮的女生說。

「喔，喔，想起來啦！沒錯，沒錯！不過那個小女生一點也不想跟我們玩，拉著自己的小辮子累得睡著了！」講完我們一同哈哈大笑起來。

眞沒想到，巴達哥尼亞也不算小，居然在這兒遇見三天前同飛機的人。不過，我的記憶力也算是有點爛。

「可是，妳剛才不在我們這艘船上呀！妳怎麼現在會出現？」好奇的我馬上提出了問題。她不會是昨天錯過船，看著冰河睡了一夜吧？

「我男友跟我雇了艘小汽艇，從國家公園的另一頭遊峽灣。」她指指碼頭另一邊，眞有艘小汽艇正在發動準備離開，「我們只雇到這兒，回程得搭你們這艘船才能到Puerto Natales。」她跟我解釋。

同機又同船，算是有緣人哩！老德先生這時已經上了甲板跟我招手。

船上破破的擴音器又開始播音：

「船馬上要開了，請各位旅客立即登船！」

我看見小貝雷帽表情有點緊張的樣子，對另外遊船的遊客詢問著什麼事，只見大家都搖頭，表示不知道。

「他問啥？那麼緊張？」我問會說西班牙文的同船女生。

「他問後來的人有沒有看見還在冰河的遊客，我們的船還少一個人沒出現。聽我們小汽艇的船伕說，有遊客曾經滑落山谷再也找不到，難怪他會緊張。」女生跟我解釋。

我爬上甲板，往冰河路上的方向瞧，希望那個遊客別出什麼意外才好。我也看見小貝雷帽已經往去冰河那邊的小徑走去。

我們的船遲了十五分鐘開，那個冒失粗心的遊客竟然是躺在冰河石頭上，因爲太舒服而睡著啦！小貝雷帽和我們的破破擴音器船長都有點不悅的臉色。不過，船一開動，小貝雷帽又恢復了笑容，跑上跑下跑進跑出地

LAGUNA ICALMA

替我們準備飲料。

回程的峽灣風景，跟早上的全變了個樣兒。

強烈的午后陽光替代了清晨柔柔的光線，整個海面的波光刺得人睜不開眼睛。乘客的心情也大有不同，早上初醒清新的氣氛，現在被一陣陣午后的瞌睡襲擊。整個船艙，我看沒人逃過這瞌睡魔掌，連日本媽媽都不顧形象脫了鞋子開始大睡。

「再見，我也要好好睡個午覺！」

我對老德先生說。

接著我做好防曬措施：戴上太陽眼鏡，用我的防風夾克蓋住會照到陽光的手臂，接著用背包當成枕頭，開始在我寬敞的座位上大剌剌地享受船上的午后小憩。

這段回程有四小時，哇，可以好好地放鬆，什麼都不想，什麼都不做。

船搖呀搖的，在巴達哥尼亞的峽灣裡，我要在夢中，假裝自己是有著兩條小麻花辮的印地安原住民小女孩，在媽媽的懷中，乘著小木船，在獵完海魚回家的船程上，那麼安靜，毫無牽掛，自自然然地甜美沉睡；船轟轟單調的引擎聲，是一首最溫柔的豔陽小船上的搖籃歌……

夢正酣甜，老德先生卻搖醒了我，睜開眼睛，看見他笑嘻嘻地問我要不要嘗一杯一定不可錯過的飲料？我眨眨眼，哇，看他手裡拿著的原來是……

愛情的胃口

被太陽曬得熱熱的我，摸著暖暖的雙頰，看到老德先生拿著的那杯飲料，突然大笑。

哇，又是Pisco Sour！一定是盡責又忙碌的小貝雷帽送來的吧？

嘻嘻嘻，老德先生也笑了，小小玻璃杯中黃白色的液體差點因船的搖晃而灑出來！

「不喝嗎？」老德先生知道我一定不想喝，故意這麼問。

「嗯～嗯～，不喝，不喝。」一路上到哪兒都在喝這種智利人最愛的飲料，旅館中歡迎住宿旅客的也是它；餐廳的侍者也會問你要不要嘗它；所有導遊也會耳提面命似地說一定要試試呀，沒喝過Pisco Sour就等於沒到過智利。

照這麼說，我到過智利啦！而且到過好多「杯」的智利啦！我不喝了，雖然那杯飲料，現在陽光下的顏色那麼誘人，因爲杯子是冰過的，見了熱氣，正冒著小小的冰冰的汗珠；霧霧的杯中，有淺黃色的液體，直接給人酸酸的清涼想像。應該是很適合現在的我，午睡起來口渴的我。

可是讓我給你一點這小杯飲料的訊息，你就會明白即使它看起來那麼可口清涼，也不要小覷它的威力。

它是用本地葡萄蒸餾出來的白蘭地，顏色有著葡萄酒的美麗，也有烈酒的豪邁不羈。它像個很有個性的美女不甘平凡，爲自己的美加上了更多裝扮：酸酸的萊姆、甜甜的砂糖，還有可以滋養身體萬物的新鮮蛋白。

呀，呀，呀！你拒絕不了這美女雞尾酒邀約的青睞，把如同手掌般大的透明水杯緊握著，像初次握上俊俏愛人的手那樣迷亂，還帶著過多的期待。

第一口的感覺還眞不壞，接著眼前的世界就比原來的更加美好起來。觸到酸酸甜甜味道的舌尖，有夢見與愛人熱吻的澎湃；濃濃的酒精，趁勢挖掘你心最深處的愛戀，讓你反看世界，覺得不去捕捉愛情的人們，才是最無情無義放浪形骸。

它是道進入南美熱情世界的、水做的門。

Pisco Sour 更是懂得愛情的人，不會錯過的愛情餐前酒。它開啓的是你對愛的胃口，你和你的愛人，都別想在這美麗的熱情水門前逃走。

老德先生指指我座位上，原來小貝雷帽也給我放了一杯。老德先生一飲而盡，不像我想得眞多。

「哇，有加蛋白的好難喝！」老德先生只說出了這個意見，因爲我們一直都是喝外國人口味，沒加蛋白的，看來小貝雷帽要我們嘗嘗眞的智利味。

老德先生又發揮實事求是的旅行者精神，唸著他的資料給我聽，原來Pisco Sour到現在還在智利與祕魯兩國間爭執不休，彼此都說是自己發明的飲料，所以也有Peru Pisco Sour和Chile Pisco Sour的分別。

我聽完，跟老德先生說我的是「小貝雷帽Pisco Sour」，可是我不想喝，現在船已經搖呀搖的，不用酒精都可以呼呼大睡，再喝了這杯雞尾酒，肯定待會兒沒辦法……

老德先生揚揚眉，冒出了小問號，問：「下船後妳要做什麼？」

啊，差點說漏嘴！

我的計畫是待會兒上岸後直奔山坡上的小市區。

去幹嘛？買明信片呀！

我對老德先生搖搖頭，說要去甲板上吹吹風，快把話題轉開。

無聊的互寫明信片遊戲還在進行呀！諜對諜的好笑情緒又隱約冒了出來……

SALAR DE SURIRE

那初戀時欲語還休的情懷

呼——，跑到甲板上，鬆了口氣，還好沒說出來要去買明信片的事！

要是剛剛一口飲進那杯Pisco Sour，肯定會全身放鬆，甚至拉老德先生一起選要寄給他的明信片也不一定！

我可不懷疑自己是會做出這種搞笑行爲的人類。

這不是在說Pisco Sour不好喝或酒精太強啦，而是可能互寄明信片的遊戲尚未結束，過敏的神經現在有點緊張吧？呵呵，老德先生好像有點懷疑，嗯，待會兒還得用些小技巧躲過他的耳目。

唉——，突然感覺兩個人在一起生活久了，就會不自覺地說出一切自己想做的事給對方知道；又久而久之，甚至是毫無意識地就會跟對方報告成堆亂七八糟的大事情小心情，眞是太可怕了！還好這個小小的明信片遊戲，讓我驚覺到這一點，將自己不該講的扯住不說，還眞需要額外的精神來維持，這倒是我沒注意過的，現在起可要多多保持警覺、多多練習。

雖說這個遊戲本身很無聊，不過卻讓我有了一點點像初戀情人那般欲語還休的好笑副作用ㄟ……

破破的擴音器傳來感謝的告別，我們已經慢慢靠岸。

住著的旅館就在港邊，整棟黃顏色的外牆和每扇面港的窗戶都掛著白色的窗帘，在夕照中看來鮮豔奪目，很美，也很夢幻。載著我們的小船像是穿過峽灣、越過冰河，只爲了抵達這有人煙的世外桃源。

日本媽媽第一個上到甲板準備下船，妝已補好了，嘴唇紅紅，笑容滿面。

接著就是將我們的背包帶上甲板的老德先生，他最害怕的事就是不準時，所以他看老婆遲遲沒下船艙拿背包，就趕緊替我帶上來，免得驚慌的老婆又會因爲拿背包而發生什麼鳥不拉雜的怪事。

老德先生這份求準確的個性，在旅行時眞的會有點不羅曼蒂克，不過，我也算是太散仙，嫌別人不得。

小貝雷帽跳上碼頭，搭好平面船梯，大家魚貫下船。我瞥見在我們後頭下船的日本媽媽不同於大家給小費的方式，給了小貝雷帽小費後還直跟他鞠躬，害小貝雷帽回鞠躬的時候，帽子差點掉進水中，我拉住老德先生夾克的袖子，差點失聲大笑。

老德先生直從碼頭往旅館的方向走，我在他後頭大叫：

「你先回旅館，我去鎮上走走！」

老德先生對我搖搖手說：「要去就一起去，先把背包放回房間，難道妳要背著一堆礦泉水和蘋果去逛街嗎？」

說的也是啦！經他一說還眞覺得背包挺重的，只好跟他往回走。看來他已經猜到我的心思了，愛玩遊戲的老德先生不是那麼好騙過的對手。

「先去提款機提現金，再去找南極企鵝園。」老德先生在我再度不出旅館時這麼「安排」了我們的小鎮亂逛行程。

「好呀，」我難得出現了柔順的表情，「你去提款機領錢，我去看看或問問企鵝園在哪，這樣比較節省時間。」我說。

「不用呀，提錢很快，企鵝園我看過地圖了，不用妳問。」老德先生邊走邊看哪裡有接受他信用卡的提款機銀行。

「厚，眞是不給機會ㄟ！」我心裡急得暗罵。

好吧，一定要找機會衝進一家卡片店。我看路上有不少紀念品商店，等下就找機會轉進去，趁老德先生不注意的時候，買好卡片，貼上郵票，晚上偷寫，明天早上在神不知鬼不覺的時候丟進郵筒。

夕陽中誠實無瑕的祕密

想得美啦！一點機會也沒有。

先是提款機銀行自動門故障，有卡也進不去；找到門沒壞的卻因爲看不懂西班牙文指示，差點被吃掉卡片；領到現金一出銀行，居然下起了傾盆大雷雨！我們用最快的速度，衝進了一家不遠處的Internet Cafe 。

老德先生好幾天沒看到電腦了，興奮地馬上坐下來上網。外頭雨太大，我也沒辦法逃，所以就各自上起網來，老德先生看德國足賽結果的新聞看得入了神。

我比較慘，每台電腦都不能讀中文，只好等下載中文，小鎭的電信還沒有數位傳輸，這一開始就足足下載了二十五分鐘。我邊下載邊跟老闆比手劃腳，說明天我還來的話，一定要空出這台電腦給我用喔！老闆說沒問題，站在我旁邊看中文字看得頗高興。

明信片買不成，剛好利用這個機會寫e-mail回家報平安，這樣也很讚！跟家人說，不是不聯絡，是電腦不好找；大哥大除了用衛星通訊式的，在智利沒有電信漫遊的可能；明信片幾天前寄過了，我很好，智利不錯，你們好吧？一定要很好……

Internet Cafe的窗正對著小鎮大街，突然我的鍵盤上灑進一道金黃色的陽光，啊！天晴啦……，街上的行人和遊客都多了起來。

我看看時間，商店還有一個鐘頭要關，我決定攤牌，明信片不買不行了，我希望回到家的時候，兩張明信片已經在信箱等我們，這樣才有趣呀！算算時間，若現在不寄要回家再等，趣味恐怕就要打折。好吧，現在規則標準降低，讓對方知道去買明信片，但不要知道何時寫何時寄好了。

沒想到老德先生接受了建議，他也在爲此事煩惱，雖然這遊戲的必要性是如此渺小，他卻爲遵守承諾而把執行的態度變得重要；我該爲有他這樣的情人驕傲，即使這偉大的情書的遊戲是那麼可笑。不過他說這樣也好，如果我寄的明信片先到，喜歡玩遊戲的他會因爲輸掉而睡不著。

明瞭，明瞭。各自出發去買明信片，切記買了要藏好，接下來的遊戲規則可不能再破壞掉。

我在一家專賣羊毛衣帽的紀念品店，找到了我想寄給老德先生的明信片；老德先生不多久後，在不知哪家卡片店也說買到了想互寄的明信片。

我們手牽手走回海邊看日落，一路無話，心裡享受著夕陽中一個誠實無瑕的祕密，一個關於最偉大的情書的祕密……

如紅酒般濃郁的夜

走到港邊，因為不是週末，所以有點冷冷清清，可是夕陽卻正上演著一齣用光輝在峽灣山谷間表演的精采好戲。光輝？對呀！我第一次看落日，有這種看見光輝的感覺ㄟ。

我試著說給你聽聽：

曾看過的夕陽，總是太熱烈，不是紅得讓眼睛發燙，就是場面浩大得像對眾神仰望。而這峽灣港口的夕陽，似乎很有演員的天分，也頗明白自己的氣質，讓這地球南端的日落有著淡淡的優雅和層次，把夕陽餘暉在小港口的海面山間，像排練過似地左右點點拋灑，讓正在港邊打水漂的孩子，每丟一塊小石頭，就好似乍起擊碎水面上千百朵橘色光影的小花。

峽灣山間飄來了雲霧，夕陽掙扎著從裡頭射出了柔柔的光柱，照在平靜的海面上，眞像舞台上的投射燈正在等待女主角的一段美妙獨舞。

夕陽總是要退場，藍色的夜幕就此低垂，我才發現我們眞的是看呆了，原來好長一段時間都沒說話。

大自然就像不變心的情人

「哇，你今天也挺有氣氛的ㄟ，這日落眞的太讚啦！你也看呆了吧？」

我問身旁的老德先生。

沒想到老德先生就是老德先生，他看我欣賞日落那麼投入，就趁著還有光線，再讀一次這個小鎮的資料。厚，眞的是太實際了，我在想他到底是不是沒有浪漫細胞呀？

不過，抱怨歸抱怨，我最喜歡的時刻也來了，那就是老德先生會將他讀過的有效資料讀給我聽，這倒是懶老婆的一大享受。

「好吧，好吧，你剛又學到什麼事啦？說來聽聽，是關於這個小鎮的嗎？」

老德先生看老婆要聽要學，就不會放過機會，他說：

「這小鎮一直有著美美的夕陽，移居至此的英國殖民也愛上這裡，大舉入侵來牧羊。Puerto Natales 第一次世界大戰後，有英國人經營的屠宰場，肥美的羊肉就從麥哲倫海峽出港，回到那叫做大不列顛的家鄉。」

AMANECER EN CUERNOS DEL PAINE

「來到智利的德國人都很會開農場；喜歡吃羊肉的英國佬都是經理人，善於經商。Puerto Natales的智利工人在殖民者管理下的境遇實在不怎麼樣，一九一九年二十八名屠宰工人鬧了革命一場，英國經理、智利警察和工人，全都命喪的喪，傷的傷……。這就是如今只剩旅遊業的Puerto Natales的繁華興衰與昔日輝煌……」

老德先生看看我，知道老婆聽得快睡著，這種歷史的事情，都發生過啦，還要再去記，實在眞麻煩。老德先生搖搖頭，可能覺得老婆浪漫神經太多，卻忘了加點智商。

「嘻嘻，我知道啦！你說的我都有聽到呀！這裡現在沒有屠宰場，可是我知道卻有海豹呀、黑頸天鵝、小企鵝、遊船呀！」

我趕快唱和一下，免得老德先生把我看扁。不管人或故事的物換星移，大自然都忠實地留在那兒，像個不變心的情人，愛到最後，終究忘了離開你……

我敲敲自己的腦袋，對老德先生說：

「你剛才那段歷史讓我的頭吃飽了，我的肚子現在卻空啦！」老婆眞的誇張地摸著肚子，像餓了好幾餐。

「去哪裡吃呢？」

老德先生開始傷腦筋，他不習慣臨時處理事情，總要先講好了才算數，所以現在這種亂走亂找餐廳的事，就是我最拿手的呀！

來來來，沒問題啦！你看那邊不是有一排餐廳嗎？我指著我們旅館邊一排房子說，去每家門口先看看菜單就知道啦！

「可是旅遊書建議就在我們的旅館吃，那兒最好吃。」老德先生一想到老婆要帶路，就趕快有防範措施。

「呀，去看看嘛！如果都照旅遊書，也太單調了。」

不過由本人主導的事情，通常有令人很出乎意料的結局，這頓晚飯最後居然變成……

「撿石頭」的老婆

走過每家餐廳的門口，我都希望再走遠一點，或許會找到比這家更羅曼蒂克氣息一點的用餐之地。呀呀，我是典型「撿石頭」的人，總以爲還可以在河流的更深處，撿到更漂亮的石頭嘛！

天不從人願，對於太貪心的人，老天可不會憐憫。天色越來越暗，我們也覺得路兩旁可吃飯的地方變少了。我回頭看看已走過的路，沒想到我們已經離開剛剛看夕陽的港邊有一大段距離了，好像也已走到了住宅區。現在四周靜悄悄的，偶爾會有開得很快的小汽車橫衝直撞地從身邊呼嘯而過。開得亂快的汽車是小鎮中唯一看來比較危險的東西，有好幾次差點被撞到。

可憐的老德先生此時已餓到無力翻臉，開始從褲口袋拿出小鎮的市街圖，看看要從哪兒回到旅館比較快。

「走這邊，」老德先生開始做出絕地大反攻的指揮官模樣，決定不再聽從愛亂走老婆的帶領，「往右，向下坡左轉，指南上說有家餐廳，如果沒開的話就回旅館吃。可是我不想太晚吃太多，胃裡太多食物撐得睡不著，明天還得早起，要早睡。」他邊看地圖邊說。

老德先生眞會計劃時間，不過他說的也沒錯，若是太晚吃，我們又都不是喜歡吃消夜的族類，肚子撐得睡不好覺就慘了，明天「藍色太陽項鍊」導遊一大早七點就要出現，帶我們去百內國家公園，眞興奮！

在海景與月色中對酌

照指南說的餐廳方向走去，剛一轉彎，我在暗濛濛的街燈中，似乎看見一家冷清清的餐廳，鋪著紅白相間的方格桌巾，桌上擺著鹽和胡椒罐，裡頭燈光昏暗。正想上店門口讀菜單，忽然從門裡閃出個人，對我們喊著：

「歡迎，歡迎！這兒供應最棒的義大利菜，好吃又便宜，快進來吧！」

哇，原來是躲在門後等客人上門的老闆啦！嚇人一大跳！這種歡迎客人的方式，讓我食欲一下全飛了！

對胖胖圓光頭的老闆點點頭笑了笑，老德先生和我很有默契地開始慢慢往後退，直說，「好呀，好呀！謝謝，謝謝！」接著轉身往旅館走。

走了一段路，「噗ㄘ！」我笑出來。

「我不餓了。」我開始大笑。

「我也是。」老德先生搖搖頭說。遇上這種怪怪的老婆，可能早就被氣飽了。

「喂，等一下！」我停下來，對老德先生說。

「完全不吃晚餐也不行，我倒有個主意。」我邊說邊拍拍手。

老德先生搖搖頭，說可不再跟我亂亂走來走去，現在只想回旅館，不想再聽我的怪主意。

我拉拉他的袖子，說：「這個主意好，你聽聽看嘛！」

老德先生停下腳步要我快說。

「你看前面有家雜貨店，那裡頭一定有賣麵包，我們去買麵包，再買瓶智利紅酒一起喝，可不快意？止了餓又解了渴，又吃得不多，又好睡，實在太完美啦！讓我們今晚的夜比紅酒還濃郁！」

我用極度讚賞自己的口氣這麼建議。

小島上有個旅館可以看角峰的日出日落，不過行李可得自己拖過窄橋。

老德先生眞的被我說服了，重點就是智利紅酒呀！來到智利，不多喝紅酒多可惜？嗯，這個怪主意很快就被採用了，我們朝前頭不遠處的雜貨店走去。

雜貨店是紗門，擋蚊蟲用的，上面吊了個手寫的紙牌子，不知寫著啥，好像沒人在。那紙牌一定是店主寫的：出去馬上就回來。

果不其然，我們剛轉身要走，店主從對街走過來，問我們是否要買東西？

哈哈，一進店舖，看到很多好吃的麵包，用塑膠袋包好，放在一個大木盒裡；收銀機後頭的牆上，陳列的全是智利紅酒。

店主推薦了一瓶酒，我們照單全收。抱著灑有白芝麻的麵包和紅酒，準備到旅館房間好好欣賞海景和月下對酌。

喔喔喔，眞不錯呀！待會兒一定要老德先生多喝點兒，這樣他才會先睡著，讓我有機會好好安靜地來考慮如何寫我的「偉大的情書」……

你猜的一點都不錯，我就是因爲想要寫明信片，才會建議買智利紅酒來喝的嘛！眞是心機很深吧？呵呵，可是我決定明天一早就要將明信片丟進郵筒，不能再拖啦！計畫已定，趕快行事……

美麗的呵護

晚上九點的旅館餐廳，衣香鬢影酒未過三巡。

我們則偷渡了麵包、紅酒過大廳，捨了美食只願兩人共享房間窗前的月夜海景。

這是種浪漫的簡單，也是情人間都想達成的安靜；只有你和我的時候，一瓶雜貨店老闆推薦的紅酒，也會讓我們對世界高興得像是永遠不曾灰心。

移開房間窗前小圓桌上的背包、礦泉水、筆記本和百內公園的簡介，我開始佈置我們的晚餐桌。老德先生笑著說這是我從前自助旅行時留下的惡習，總愛把旅館房間當成自己的臨時大飯店，哪怕現在已不再有當時必須要節省旅費而得過度節儉的生活。

「那你的意思是要下樓去吃大餐囉？」我雙手叉腰地回敬老德先生一句。

他看了我假裝生氣的模樣，笑著說：「不是呀，說好今天要這麼喝喝紅酒，那又不同。只不過從百內公園回來，還會在這兒過一夜，我們要好好吃飯，別在街上到處拿不定主意，最後餓到不想吃。」

喔，重點是不再聽老婆的話啦？不早說！以後我樂得跟著你去找好吃的飯，今晚就吃芝麻麵包配紅酒，一樣讚啦！

老德先生找開瓶器開酒，這次來智利前我們就準備了，免得買了紅酒卻因爲沒開瓶器而喝不到。我看還有些時間，就快速地去沖個澡。

老德先生根本不等我，開始喝起紅酒，我故意從浴室中叫著：「沒關係，多喝一點，別把麵包吃完啦，要留麵包給我呀……」

沒錯，老德先生在我意料中，喝了大半瓶紅酒，開始想就寢了。

好極了，好極了！我心裡樂得直拍手，希望他快點睡著，我的明信片就在背包裡，等著我來將它寫好寄出去！老德先生一定沒料到，我會比他先寫好。哇，太棒了！看來寫「偉大的情書」的遊戲，我佔上風囉！

老德先生打了一個哈欠，一倒上床馬上就睡著了。窗前圓桌上的空酒瓶和芝麻粒，看來一點也沒幻想中的浪漫，不過，趁著月光，我倒很有心情寫明信片，向這個最喜歡一起旅行的伴侶，說說心中深深的感覺。

我看看他睡熟了，拿出背包中我買的明信片，再看還是差點笑出來。

明信片上，是兩隻南極馬卡羅尼冠企鵝，一公一母，肥肥的，頭上有著彩色的毛，長相真的亂可愛的！

明信片上公的那隻很大，好像在保護那隻較小的企鵝，感覺上就是老德先生跟我，雖然相處中都是彩色的好心情居多，我想也是他細心保護著我，才會讓每次的旅行都那麼快樂吧？

這張明信片，眞是最適合拿來當成我寫給老德先生的「最偉大的情書」，因爲就是眞實的心情和感想呀！而且我覺得我們兩個人有時候的相處，就是那麼好笑又輕鬆，對於必須要擺出正經八百的「正常」夫妻模樣，好像從沒認同過的樣子。

再想想結婚即將十年，浪漫對我而言，從不是美麗的表面，是兩人的默契存守於心靈之間，是超越了亂七八糟的世俗蜜語甜言，是天天手牽著手也會無端對彼此好笑的想念。

人說愛情總會改變，沖淡一切的就是時間，我從不懷疑愛情有面目全非的危險，打從一起生活開始的第一天，到喜歡四處旅行的每一年，我們便對愛情移開了更多不切實際海枯石爛的宏願，許下單純快快樂樂、互相呵護的心願直到永遠。

翻過明信片背面，我開始寫：

我最親愛的阿德：

很棒可以從智利寄給你一張「愛的明信片」！
我們終於來到這兒！這是多美好的事喲！
告訴你實話：
每一次和你旅行之後，我都感覺自己又更多愛了你一點，
這是我心最深處的感受！（我畫了一顆心）
你照顧我無微不至，
我深愛上與你同遊的方式。
讓我們再如此一起快樂又美麗地旅行……
從 Puerto Natales 說「我愛你」！
雖然你此刻已在我身邊沉睡。
玩互寄明信片遊戲的點子眞不錯！
收到明信片時，請給我一個擁抱！

Augusta（我的亂亂簽名法）

哇！心裡放下顆大石頭，我寫完明信片啦！好高興喔！
把明信片藏回我的背包，明天就可以寄了。
我瞥見老德先生放在椅子上的背包，想像他會買什麼樣的明信片寄給我呢？他又會寫什麼心情呢？
想著想著，不管窗前月夜再美，愛睏的我還是睡著了……

海豚的夢

今夜身體中的智利紅酒，與我一同沉沉睡去。

那麼沉，連夢都沒有！我本以為吃了麵包上的白芝麻，會夢到明天要去的百內公園中像「芝麻開門」中的大山和傳說故事，唉，結果真的超愛睏，真沒幻想力的家庭主婦……

「喂，喂，起床啦！」老德先生說。他是最準時的人，總怕懶老婆旅行遲到。

我瞇著眼睛，聽見老德先生正站在窗前用電動刮鬍刀滋滋滋刮鬍子。

「喂，很吵ㄟ！一大清早！」我翻個身，用被子蒙住頭。

「已經六點囉！不起床準備，就趕不及進百內公園喔！」老德先生邊說邊走進浴室。

哇，六點啦！我跳起來，今天「藍色太陽項鍊」導遊會來接我們ㄟ，七點就到，那只有一個鐘頭準備啦！

我爬起來，看見老德先生已經準備好要帶進公園的背包，先前準備要寄放在旅館的我們的旅行箱，也收好擺在門邊了。

真恐怖！老德先生也未免太有效率，看看我的東西還沒收，一陣頭皮發麻。

「妳先收東西，我把大箱子先拿去樓下寄櫃檯。」老德先生這麼吩咐著。

「妳看看窗外的天氣，厚厚—！」老德先生隨即又這麼說。

我不知道他在說啥，從床左邊爬到右邊，再走到窗前一看，哇，眞的還是假的呀？港口的樣板小船被大浪搖得像快散開，風吹得太緊，路上沒半個人，天陰陰的像是即將下大雨。

不會吧？這種天氣，我們要去百內公園爬山ㄟ……

遇到起風先「開門」？

爲了不遲到，我立即東塞西揀，亂亂收好東西後下樓吃早飯，還不忘將寫好的明信片用口水貼好郵票，準備將之付郵。

郵筒就在電梯旁，一出電梯，把明信片快速丟進去。這樣老德先生應不會發現吧！呵呵……

我繞過旅館咖啡廳，來到吃早餐的地方，老德先生已坐定了。他跟我招招手，我則指指自助餐檯表示我先去拿吃的再到座位。

「待會兒先去打電話回家，出了門在轉角就有公用電話。」老德先生說。

我說好呀，我正在喝熱牛奶咖啡，嗯，好喝！

「可是，看外面風那麼大，那電話亭是沒門露天的，講電話會不會被吹走呀？」老婆開始提出像卡通片中的問題。

老德先生說怎麼樣都得各自打電話跟家裡報平安，講一下子電話應沒問題吧？

哼，估計錯誤！南極吹來的風讓我們出了門都很難移動腳步。又冷又強的風吹在臉上，好像是整個人高速飛在空中，眼睛都睜不開呀！

兩人勉強走近電話亭，我叫了起來，哇，電話亭都在風中搖動哩！我轉身就往旅館跑！

老德先生跟著跑回來，看見我已跟櫃檯詢問打電話的方法。原來櫃檯就有公用電話啦！因爲太多遊客都沒有衛星通訊式的手機，旅館當然得多這項服務。付了錢，各自向家人報了平安，就看見「藍色太陽項鍊」導遊出現在旅館大廳。

眞高興呀，我最喜歡帥帥的導遊了！他今天依然戴著藍色太陽項鍊，還穿了登山鞋、厚羽毛衣，黑色的頭髮很帥氣的亂成一堆。

「早呀！」他說，順便用手撥撥頭髮，雖然讓頭髮更亂了，不過散發出迷人的氣息。

「今天起風了！典型的巴達哥尼亞天氣！」他說。他把雙手像小男孩一般地插進褲子口袋，我發現他的棉衫袖子敞著沒扣，很瀟灑喔！

「常這樣起強風嗎？」我問。

「典型的峽灣天氣。今早我一看起風，就趕緊起床『開門』，要不然會出不了門。」他笑著說。

「吹大風了還開門？聽不懂！」我看到帥導遊問題特別多。

「喔，因爲風太大，如果再晚一點，我家的門會被強風頂住，那就沒法出來了。所以找家人快將門打開出來，怕晚一點風更強就沒法來接你們。」藍色項鍊解釋著。

媽喂！原來書上讀過的巴達哥尼亞的風是猛到這款哩！住在這兒的人可要跟大自然多多奮戰。

在大自然中自得其樂的男孩

跳上帥帥導遊的黑色藍哥吉普車，發現我們還有一個司機，是胖胖的迪耶哥。

「我請他來幫忙，要不然不能專心爲你們好好介紹百內公園。」

看來帥帥導遊很細心。

我們沿著海灣，朝百內國家公園入口方向行駛，一路上大風不停呼呼吹，要三小時後才能抵達公園的入口。

車窗因爲我們的呼吸而起了霧，迪耶哥把暖氣除霧開到最強，我用袖子擦擦車窗，看到冷冷的海灣在陰天裡還是藍藍的顏色，眞奇特。

「你們好，我叫莫利修，這五天將擔任你們百內國家公園的導遊。我是在巴達哥尼亞土生土長的孩子，整個夏天，我是導遊；整個秋冬，就在峽灣捕魚或在公園打獵……」

藍色太陽項鍊導遊的自我介紹實在有點太吸引人了吧？這不是漫畫或愛情小說中才會出現的那種與大自然爲伍的帥男主角嗎？哇，我都快聽呆啦！

帥帥導遊就是在這一千兩百萬年前冰河時期形成的大自然中自得其樂生活著的人，這座公園中有無數的冰山、湖泊、美麗的野花野果、小狐狸、駝羊、黑頸天鵝、兀鷹……，而我眼前的帥帥導遊說他可能窮此生都無法看完或玩完這座美麗的公園。他居然還說去年整個冬天，他都和漁夫朋友駕著小船，邊捕魚邊和海豚玩哩！

厚，聽到快流口水啦！跟海豚玩ㄟ！如果我也能跟帥帥導遊一樣，晚上在船上睡著，夢著海豚的夢，一定是超過癮的事吧！

巴達哥尼亞最初的回憶

車子進入了山區，不過巴達哥尼亞的風還是無處不在。

藍色項鍊導遊說其實這算是不錯的天氣，通常這兒下雨的機會比晴天多。

下雨？我們從下飛機到現在還沒看見這世界南端的雨哩！眞幸運，一路都是好天氣。

可是，不管下不下雨，帥帥導遊都戴著個藍色的太陽啊，看到心裡都會出現陽光，下雨也沒關係啦！我偷偷心裡這麼想。

或許也就是因爲巴達哥尼亞陰晴多風的天氣吧，讓帥帥導遊頸間掛了這樣的項鍊？

眞想找機會問問他項鍊是誰送的，滿足一下我的好奇心。

洞底的祕密？

百內公園是安地斯山脈的山麓地帶，地形有高山有低地，生物植物精采地分佈生長，超興奮就要親眼瞧瞧這個在七○年代，被聯合國制定爲世界保護區的國家公園！

可是風在這兒似乎強過任何東西，吹進了所有生物和花朵最古老的記憶。樹全都臣服似地把腰彎低，向可以雕塑巨石的風行禮。在這兒生活的一切都戴不住虛僞的面具，稍微輕浮的生命只能等待被風親吻後連根拔起。這就是巴達哥尼亞最初的回憶，誰都無法不抱著最高的禮讚，向看不見的強風屈膝。

「麥漏洞到了；我們第一個要遊玩的地方。」帥帥導遊說。

耶耶耶！我跳下車，嘿，這可是我一直聽說，史上身形最大的大樹懶居住過的洞穴喔！現在要看樹懶住的洞呀！我讀過在美國國家地理雜誌對這洞的介紹。

「美國國家地理雜誌上個月才又來拍了一次這個大洞穴的紀錄影片，他們一直認為洞中還有其他的祕密。」藍色太陽項鍊說。

「有嗎？有嗎？眞的還有其他祕密？」我一聽到「祕密」兩個字，眼睛立刻發出亮光。

藍色太陽項鍊帥哥被我的誇張反應逗笑了，摸摸鼻頭，說：

「這我可不知道。只是好幾個星期，一大堆攝影機、燈光、導演、教授，罷佔住洞穴拍個沒完，我跟所有旅客都被擋在外頭不准進去。」帥帥導遊說。

傳說中的樹懶之家

到了那個很大的石洞前，他叫我們看洞前的樹，樹的形狀都不直，是風吹的。洞前有巖洞上往下流的瀑布，淅瀝淅瀝的水聲眞好聽。大洞也是幾萬年來風的傑作，把石塊就

麥漏洞入口的形狀，是我從洞裡往外拍的，總覺洞口的石柱陰影像是大樹懶的牙齒，幻想我被牠吞進肚啦！

這麼一吋吋吹凹進去，變成了愛吃尤加利樹葉的大樹懶的家。

不過風吹不走一萬年前就在這兒生活的樹懶的痕跡，看來還有人想找出更多屬於樹懶的回憶。只是樹懶早就絕種，現在只剩一堆拼湊起來的骨架，在世界另一端的大英博物館孤伶伶地站立。

走進去，洞頂有著如鐘乳石狀的小石柱，洞如此大而深，可以想像一八九六年在這兒發現的一塊樹懶厚皮，是如何震撼著整個世界！

旅遊作家查特溫的那本著名之作《在巴達哥尼亞》，就是以麥漏洞大樹懶作爲書的主幹開始的，因爲他一直以爲來到巴達哥尼亞，就可以看見傳說中的雷龍（因爲是被他祖母騙說樹懶是雷龍的緣故，這本遊記很好看喔！）。

沒想到我眞的來到這兒啦！內心眞激動……

「看看，這是洞底，」我們走了上坡下坡，才走到大洞盡頭。帥帥導遊說：「生物學家相信這面洞底還藏著一些祕密，物種學方面的研究搜索一直在進行就是了。」

這種故事眞的最讓我著迷。

「洞裡因爲共鳴好，夏夜會舉行現場演奏會，很美的感覺。」帥帥導遊說。

我猛點頭，一定超浪漫的吧？

洞口有一個照眞樹懶骨架模擬做成的樹懶大模型。哇，眞大的樹懶喲！我站過去只到模型的腰部。

「看起來兇猛，但是只吃樹葉。」帥帥導遊說。

「那跟我差不多呀！我只是看起來兇猛的老婆，事實上可愛又活潑。」我趁機稱讚自己，老德先生聽了笑起來，我也跟著大笑。

帥帥的導遊開始覺得這對夫妻有點好笑，第一次在他臉上出現了比太陽項鍊還燦爛的笑容。

「爲什麼這樹懶洞叫『麥漏洞』？」老德先生問。

哇，老德先生還是聰明一點，問問題比我有重點。

「因爲阿根廷一位叫麥漏洞的科學家，先開始研究樹懶在此生活的情形呀！」藍色太陽項鍊看來也滿博學地回答。

遠處就是百內塔山。

這時笨笨的老婆才明白，此洞非彼洞，研究這洞的人是剛好名字也有個洞的音啦！呵呵，我是不學無術的笨旅者……

可愛的栗色駝羊

「刮那扣！（Guanaco）」

老德先生很快樂地叫起來。

啊，原來是路邊出現了栗色馱羊了。這種動物看來像小型的駱駝，卻沒馱峰，老德先生最想來南美看這種動物了，現在終於在他眼前出現，看來很興奮。

藍色太陽項鍊馬上善盡導遊職責，對我們介紹起這看來傻傻在路邊吃草的動物：

「這是栗色馱羊，上從祕魯、玻利維亞到智利南端，從平地到阿根廷的安地斯山，都可見到牠們在草原奔跑遊玩。同種類的還有Vicuna（駱馬）、Lama、Alpaka（美洲馱），也都是同一種駱駝科的族類。牠們總是推派雄性的領導觀察安危，其他的駝羊則吃草或安睡，只要誰嘗試靠近威脅，刮那扣就會吐你一身臭臭的口水。」

「對了！這就是我想試試的經驗！」老德先生居然這麼說，我聽了一身冷汗。

「眞的還是假的！你自己去喔，我才不想被噴一身臭口水！」我叉腰說。

百内塔和草原上的刮那扣。

「一定要找機會，這樣才好玩呀！」老德先生看我越害怕就越這麼說。

藍色太陽項鍊有點被這對怪怪的夫妻弄傻了，聽了笑起來。

「真的很臭喔！」他警告老德先生。

「你有被吐過嗎？」老德先生像小孩子一樣回問。

「有聽被吐過的同事說，洗了一個禮拜還是洗不掉怪味，而且不是無色的口水，是牠膽裡的青草汁之類的玩意兒，又綠又黑，很不舒服的東西。」帥帥導遊試著嚇嚇老德先生。

我聽了差點反胃！老德先生卻說我太沒冒險精神，他一定要試試看。哇，怎麼會這樣啦！

如大師創作般靜謐和諧

過了國家公園的檢查哨口，我就被這兒的自然景致給震懾住囉！

冰河削過的山壁下，有著工整的小坑洞，本該無趣的景色卻被其中的一塊濕地賦與了綠意盎然的感覺。整片水筆仔似的水林又加上各種長在路邊的野花，讓整個景象像是有誰刻意將不該相配的土壤和植物，巧妙地揉合在一起，卻又不像工匠少了創意的無趣，竟展現出一種如大師創作般的靜謐和諧。

「太神奇了！」我無法控制地說出這幾個字。

百內塔。

「嗯，百看不厭；百內公園是我的永遠。」藍色太陽項鍊這麼回應。

車一直往山上爬，我們一路無語。我想這就是好的風景，加上好的導遊，懂得此時的安靜正是最精采的解說。

又一個小時的山路，來到國家公園的管理中心，藍色太陽項鍊知道我們根本搞不清楚自己是在什麼方向啦！

他在一個公園大模型前拿著指示木棒跟我們解說：

「你們在這兒，這幾天我們去會去這兒、這兒跟這兒，還有這兒。」他說。

我的眼睛跟著木棒左右移動，搞不清到底是哪兒跟哪兒？想必會爬山爬到兩腳發痠吧？對呀，我就是喜歡這種感覺！藍色太陽項鍊說我們的行程天數太短，能看到的實在有限，現只能去幾個重點：

「灰冰湖、大瀑布、卡司卡達百內和百內塔山；我們平常都是要七天以上的健行行程才看得到……」藍色太陽項鍊又講了好多冰河及山的名字，聽了快昏頭。

「有聽沒有懂。」我小聲對老德先生說。

老德先生白我一眼，一副希望老婆不要講出太沒水平的話的樣子。

百內角峰的多變風貌

藍色太陽項鍊又帶我們看了公園中幾千種動植物的展覽介紹，還說這兒是Huemul的家。

完了，完了，這是啥啊？看他介紹的語氣挺認眞。

「是智利國徽上的動物吧！」還是老德先生反應快。

「對啦，智利國徽上就是兩個動物：Huemul和Condor。」帥帥導遊高興地說。

喔，Condor是大兀鷹，這我瞭；至於Huemul嘛，我上前看看牠的照片，跟我們台灣的山羌長得有點像，同是鹿科動物，不過現在是世界最危急瀕臨絕種的動物，就叫牠智利鹿好了。藍色太陽項鍊說，害羞的牠們就住在這一區，但是近幾年都很少人見到牠們的蹤跡。

公園管理中心後頭有座天然的湖，實在太美了！

這時天氣放了大晴，風也停了，藍色太陽項鍊說我們的運氣眞是好到不行，我說看到這小湖和一些漂亮的水鳥、水鴨，不想走了！藍色太陽項鍊卻說有更美的大瀑布在等我們，尤其天晴，會看到大彩虹。

從兩個不同的角度看百內塔。

我聽了像著魔似地立即跳上吉普車，瀑布上的大彩虹嗎？

車行途中，藍色太陽項鍊指給我們看百內公園中漂亮的百內角峰（Cuernos del Paine），哇！從前只看過這百內角峰的照片，親眼看見才發現角峰有著黑色的山頭和白色的身體ㄟ，太正點了吧！

藍色太陽項鍊說主峰有海拔兩千六百公尺，北峰兩千四百公尺，東峰兩千兩百公尺……，眞希望我會記得起來這些高度！

我們的車在山路上轉來轉去，雄偉的百內角峰呈現很多不同的身形姿態，隨著奇幻的光影和雲，讓我移不開目光，只能叫著：「眞迷人，眞迷人！」

我想我開始愛上了百內公園。

智利角峰。

收藏億萬年的溫柔

冰河瀑布上的彩虹。

我的好奇心還在持續著。

就是對帥帥導遊的藍色太陽項鍊嘛！

我眞想知道這樣帥氣的項鍊背後，是否藏著浪漫的故事？說實在的，年輕帥帥的莫利修，一定很有機會寫出浪漫的故事吧？

「一點也不浪漫。」莫利修說。

在要走去看大瀑布的途中，忍不住好奇的我，眞的就問了。

「這項鍊是一個比我浪漫的朋友做好送我的啦！」莫利修手插在褲袋中邊走邊跟我說。

「眞有趣，有會做項鍊首飾的朋友。」我說。

「嗯，這倒沒錯。巴達哥尼亞人常感受到的是冰、是風，想到出太陽的天氣會讓人很快樂。這可不是普通的石頭喔！是一塊我們在冰河邊發現的小藍石，大概被冰河冰凍了幾萬年了吧？」他要我看看他項鍊石上的小洞。

「這些都是被冰過很久的石頭才會有的痕跡。」藍色太陽項鍊很認眞地說。

這也是浪漫呀！大男孩在冰河邊撿石頭，撿到喜歡的，就拿回家用皮和銀來做項鍊，看起來比任何店裡賣的都樸實也眞實，而且帥帥的莫利修戴起來也超帥的。

冰河山壁間急流的傑作

走上小坡道，就看到大瀑布了。這個瀑布可眞是冰河山壁間急流的傑作，在瀑布上端有個工工整整的七彩彩虹哩！嘿，眞讓我看呆了！

老德先生一下就跑上架在瀑布口上的小木棧道，要去更近的地方看彩虹，我也跟著跑過去，嚇得藍色太陽項鍊在我們後面大喊：「小心！喂，這水掉下去，不消十秒就可被凍僵沖走，誰也救不了你們！」

唉，我們可能是藍色太陽眼中的頑皮遊客吧？

我揮著手說：「沒關係啦！你看前面有那麼多個中國來的遊客，人家穿西裝和皮鞋都可以走那麼快哩！」在瀑布口有中國朋友，正在那兒照相照得很高興。來到這兒旅行，還穿得那麼整齊，在野外連領帶都沒解鬆的心情，實在讓我很難了解，不過藍色項鍊聽我這麼說，笑著對我搖搖頭。

「你們打哪兒來的呀？」我用全力喊著問那幾位先生，聲音差點被水聲蓋過。

「福建。妳呢？」他們回問。

「台灣。」

SALTO GRANDE DEL PAINE

他們被導遊叫著趕忙上車，沒再繼續談話。

「快來這兒！」藍色太陽項鍊爬上更高的山壁，要我們跟上。

水聲轟隆隆，空氣十分純淨，兩個很大的冰河湖匯流後所產生的大瀑布，可是百內公園中最有看頭的瀑布。

冰凍萬年的浪漫石頭

眞奇怪，我只要一到這樣的環境，就會全身被不知什麼能量裝滿，可以又爬又跳地玩耍。我們走上光禿有點滑的巖壁，相信藍色太陽項鍊一定有漂亮的風景要我們看。

裴后湖（Lake Pehoe）。

哇！爬過小山壁，定睛一看，嘿，快被大自然打敗！這兒竟是平靜無波的綠白色湖水（Lake Pehoe），跟前頭幾秒鐘之差的瀑布景象完全不同！而且從這兒就可以看到覆雪山頭，這寧靜的氣氛讓我激動得有點想掉眼淚啦！

藍色太陽項鍊如孩子般走近靠水邊的路，他說在這兒就能撿到最美的冰凍之物，那就像冰山送給愛自然的人的禮物，表示你已被准許與這冰山的景色爲伍，將億萬年的溫柔，悄悄藏在你喜歡的那塊石頭的心的深處。

藍色太陽項鍊還是比較有經驗，撿了兩塊超漂亮的冰石。他送了我一塊。

「這不是石頭，是樹皮。」他說。

藍色項鍊導遊在找冰凍過的石頭給我。

「樹皮?!」我敲敲那塊有著黑白斜紋的扁石頭。

「一棵很大的古樹，被冰淹沒，凍了幾萬年，融化時被冰河帶走。一站又一站，樹皮被沖散，凍成小塊的冰，所以就硬得像石頭。」他說。

眞神奇！它不會變軟嗎？

藍色太陽項鍊搖搖頭，笑著說：「再等一萬年吧！」

「望遠鏡！快！」

老德先生躺在暖暖的山岩上，這時向我要望遠鏡用。

我跑上前去給他望遠鏡，他說看見天上有大兀鷹在盤旋。

「是呀，今天天氣好，晴朗的氣流可以讓大兀鷹飛得高、盤旋得久。」藍色太陽項鍊說。

我們三個人就像認識很久的朋友般，開始躺在山岩坡上看兀鷹、聽瀑布聲，而且都贊同若不是要趕在晚上七點到達旅館，我們可以再這麼躺著一下午。

藍色太陽項鍊說他曾經來這兒露營好幾天，被這兒迷住的心情他可以理解。只不過接下來就是灰冰河和灰冰湖（Lago Grey），不看更可惜。

老德先生說：「灰冰湖是一定要看的啦！」

我只好站起來跟著他們往回走，既然老德先生說要看，就一定還不錯看。至於怎樣好看，要看了才知道。

跟天連在一起的冰河

開了段山路，我們到了裴后（Pehone）湖區的休息露營區，在那兒我們吃了由旅館為我們準備的午餐盒，內容是——南極鮮鮭魚！因為那麼新鮮，讓我這個容易對魚過敏的人，都忍不住將整個餐盒吃完了！

百內角峰和冰浮塊。

「不怕起疹子嗎？」我問我自己，「應該不會有問題吧？」我又自己回答自己。

老德先生聽了覺得很有趣，哪有人這樣自問自答的！

不過已經吃了，有問題也來不及啦！對呀，那就不去想就好了。

上了吉普車，藍色太陽項鍊問我們帶了防曬油嗎？我們說有啊，只不過在後車廂的背包裡，要去拿。他從自己的背包拿出來很高係數的防曬油給我們擦，說就用他的沒關係。我們不懂為什麼要擦那麼厚的防曬油？

原來灰冰湖是灰冰河的下游，因為是湖不是峽灣的關係，所以會有很強的風在湖的谷底狂吹，加上灰冰河是那麼巨大，冷冽的冰空氣夾雜在風中，不消幾秒鐘就能吹裂皮膚。

我聽了就把防曬油多擠了更多擦上。

我們是由灰冰湖的西部進入冰湖。走過一段小森林山路，才來到湖底。一點也不錯，差點被風吹到昏倒！加上大太陽對巨大冰山的耀眼反射，不戴太陽眼鏡根本就睜不開眼睛！

灰冰湖邊的沙都是冰河石灰質的沉澱物，因爲融化後成了粉末狀，所以整個湖山谷都是白色的，就像是白貝殼沙灘那麼白，陽光下讓我有恍惚走進沙漠的感覺。

湖裡有一直被衝到岸上的大冰塊，感覺眞奇特！伸手就可以摸到很大的透明冰塊耶！厚，前所未有的經驗！而向你漂來的浮冰，正是從那個大到不知怎樣形容的冰河上融解下來的。我此時一陣陣暈眩，因爲景象之壯觀，讓我搞不清該把眼睛的焦點放在哪兒啦！大冰塊、小冰塊、白色閃耀的湖水、不動的冰河……，眞有「冰河是跟天連在一起的」視覺感受。

「我也撿到紀念品石頭啦！」老德先生從遠處跟我說。

我看到藍色太陽項鍊也在跟老德先生一起撿石頭。

「喂，你要看灰冰湖啦！石頭等一下再撿！」我叫著說。不過他們似乎沒聽見，我的聲音被風吹得亂跑。

伸手即可觸摸的冰塊

「照這樣，冰來啦！冰來啦！」

我聽見有人說中文。走近一看，不是剛遇見的那群中國朋友嗎？

他們身手挺矯健的嘛！已經穿著西裝來到灰冰湖跟冰塊合影留念了。

從裴后湖看百內角峰。

其中有個太激動，還脫了襪子、鞋，要跟更大的一塊浮冰照相。

「噢！」他用腳尖點點水，放棄了。被同夥的西裝同志們嘲笑了一陣。

我趁他坐下來穿襪子的時候，問他：「你們來智利玩吧？」

「不，來考察。」他抖抖襪子上的沙。

「考察哪方面呀？」我不死心繼續問。

「木材買賣。」他穿上鞋時這麼說。

「覺得這兒好玩嗎？」我問他。同時聽見遠遠的其他西裝同志們叫他別落隊。

「還好吧，中國比這兒漂亮的地方多得是。」他撂下這麼個答案就快步走了。

我也快步趕上已爬上湖邊小半島山上的老德先生和藍色太陽項鍊。

老德先生得意地給我看他撿到的石頭，眞有趣！石頭的顏色竟跟他的防風雪衣是一模一樣的顏色：一半灰，一半綠，我從未看過這樣顏色的石頭。

「這兒眞好玩！」我心底這麼想，光是看瀑布撿石頭，我就可以玩好幾天！

「妳走快一點，我們可以從山上另一個方向看灰冰河喔！」老德先生又開始嫌我走太慢。

看灰冰河？剛不是看到了嗎？再爬上去看還不是一樣？

爬上冰湖邊的山，我才發現我錯了，灰冰河原來從另一邊看是長得這樣子……

昇華心靈的冰河景象

太恐怖了！

我摀住嘴說不出話來。

我站在山崖邊，從較高的地勢看見被推移的灰冰河，那氣勢與造型又與在湖底看的完全不同！

只能用「恐怖」來形容吧！因為冰山推擠成削尖的山峰全連在一堆，但是又很有秩序地重疊在一塊兒，可是數量又多，形狀巨大，看來就像是雪梨歌劇院那樣的屋頂造型，不過灰冰河卻是有幾百萬個雪梨歌劇院排在一起！

「眞難相信！」老德先生目不轉睛地說。

我找了一塊石頭坐下來，無法將眼光從灰冰河移開。

我的心和胸此時被灰冰河塞滿，那是一種要被眼前雄偉景象撐開視野的感覺，好像在沒看見灰冰河之前的我的人生，都太狹小了，我眞是太沒見識了。這兒的景象，眞的有昇華心靈的功用，覺得繁華都市中的汲汲營營，是那麼的醜陋與可笑，所有的成功榮辱、快樂煩惱，都不能與灰冰河的冰清玉潔作比較。

我，心眞的不夠純淨，也太渺小。

「嘴巴可以閉起來了吧？」老德先生笑我。

這才發現我因為驚訝，嘴巴一直微張著哩！

耳際現在吹過的是山上松柏的林聲，腳旁就是從黑色堅硬的岩石中長出來的紅色野花。這景象，我在夢中夢過而已。

「灰冰河眞的是美死人不償命喔！」我心裡想。

LAGO Y GLACIAR SAN RAFAEL

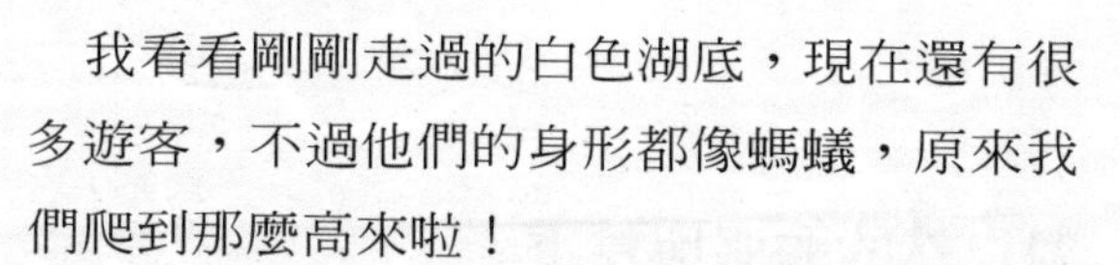

我看看剛剛走過的白色湖底，現在還有很多遊客，不過他們的身形都像螞蟻，原來我們爬到那麼高來啦！

西裝同志們嘰哩咕嚕的不知在討論些什麼事，一夥人又急急忙忙照原路回去了。藍色太陽項鍊也建議我們可以照原路回去，要不然繞到山後除了路遠，也再看不見冰河。

我發現頭脹脹的，可能是心靈受了不小的震撼吧？怎麼才進百內公園不到一天，就有後悔沒早些來這兒旅行的遺憾？更恨人的事是，當看見了這些景色，卻停留不得，心情眞是悵然。

山間路上隨時有野駝羊奔跑，迪耶哥開車很小心，胖胖的他很沉默，不過聽到大家說笑話，他也會笑得很高興。

我好像給他很會說笑話的印象，不知從什麼時候開始，只要我說完幾句話，他就會一直要求藍色太陽項鍊用西班牙文翻譯給他聽。

唉呀呀，我的氣質形象又再度沒辦法培養起來了！管他的呢！能將充滿笑聲的回憶留在百內公園，也是很快樂的事喔！

我們要住的旅館是在很深的山裡，不過距離百內公園的健行路徑是最近的地方，這樣就可以省下很多體力明天提早往我們最想看的百內塔（Torees del Paine），給它好好地登山健行上去。

對自然的順服與尊重

「呀——！」

我叫起來。因爲吉普車正要顚簸地開上一道很窄很窄的木橋，全車人都屏氣凝神地緊張起來！

「這是唯一通往旅館的路，別怕！迪耶哥來處理！」藍色太陽項鍊溫柔地對我說。

LAGO PEHOE

通過了！我拍起手來。

迪耶哥笑了。

藍色太陽項鍊說這旅館造起來很辛苦，小橋是與外界唯一的接觸，若是冰河山頭聚起陰霾的迷霧，本地人就要害怕大水大風會立即破壞一切的援助。人總以爲可以將大自然征服，在巴達哥尼亞這樣的想法聽起來只是盲目，大自然教會了巴達哥尼亞的住民什麼是對自然的順服，只有懂得與多變的自然相處，人才能學得強壯勇敢的技能，也才了解什麼是眞正的無拘無束。

喲喲，我覺得帥帥的導遊簡直就是個小詩人嘛！聽他說話眞舒服。

我們在木造的山間旅館住下，而藍色太陽項鍊則和迪耶哥到另一個營地去過夜，「那兒是起著溫暖營火的帳篷區，眞正懂得山的人住的地方。」帥帥導遊驕傲地對我說。

星夜來得快又急，溫度降得讓我直發抖。我看見旅館窗外的山野草原上，有一群群野馬在奔跑……

在南十字星的陪伴中入夢

荒山野外，哪兒也不能去。

我們放好東西，便從獨立出來的木造旅館房舍走到主要的大木屋找晚飯吃。

大木屋已點了暖爐，有很多旅客在等著開晚飯。

我坐在小木桌前看櫃檯小姐，覺得她一定是智利的原住民，黑黑的長辮子、大大的眼睛，總是在微笑，眞漂亮！

老德先生站在大地圖前研究明天的健行路線，他是最用功的旅行者，我是超混老婆，有老德先生在的旅行，我總是比較輕鬆。因爲該擔心的他都會擔心完，這個老婆不要短路跑不見就好了。

可是我卻滿想問他，他的明信片寄了沒？就是「最偉大的情書」嘛！他會不會以爲我還沒寄呀？他看起來好像不急的樣子喔！

眞想問，眞想問，可是又早就說好不可以問。唉！我眞是沉不住氣的人！

好吧，再忍一下不要問，反正到時只有他收到我寄的明信片，嘿嘿，就是我贏啦！這樣也好，不過，這遊戲好像不是輸贏的問題呀！我們是要互寄明信片，看看對方心裡一起旅行的感覺，萬一他沒寫或沒寄，那不是我吃虧嗎？

在我夠無聊地想來想去該不該問他時，老德先生說我們可以進餐廳吃飯囉！肚子餓的我就把這件事忘得一乾二淨啦！

旅館是靠發電機供電，暗暗的餐廳氣氛還頗有情調，就是因爲在冷冷的深山，光害又少，吃完飯一出門，我們兩個同時都被嚇一跳！

「哇！你看天上！」我們幾乎是同時叫起來！

可不是嗎？天上正是一團濃得化不開的星星，像夜裡會發光的白雲！

是珠寶盒星團和煤袋星雲！我的眼中有淚在打轉，我拉著老德先生的袖子，用發抖的聲音說：「是——南——十——字——星～～，啊～～，高興！」

是呀，眞的是南十字星！長極指向南天軸，就在銀河明亮的地方，我從未看過那麼清楚的夜晚之星。

跟你說說所了解的南十字之星：

整個星空最小的星座就是南十字，它讓十六世紀以來的水手不至於在南極海上迷失。據說從地球的這一方看南十字座才像首詩，只有這個角度讓星星剛好排列成十字架的形狀，述說著星夜諸神天馬行空的故事。

這幾天美麗的夜晚，將是有南十字星伴我入夢的日子，我要像古船上航海的水手，對航向最甜蜜的夢有溫柔的堅持，這樣的星空多麼讓人難忘！

我搖搖頭，嘆了口氣。

老德先生問我怎麼了？

我聳聳肩膀，說：「星空太美了，帶不回家，好生氣！」

我們兩個站著看了半天，又讚嘆了好幾回，可是越來越冷啦！這時才心不甘情不願地回房間。

「你說珠寶盒星團距地球幾光年？」我驚訝地問。老德先生又開始找書看，然後唸給我聽。

「七千六百光年，其中有八顆紅色的星。」老德先生說。

「可是混在星團中的南十字星距地球三百二十光年，還有其中一顆八十八光年。」老德先生補充。

「難怪南十字座看起來比較清楚也比較大，離地球比較近。」老婆聽了這麼表示。

老德先生看老婆好像不怎麼好學的樣子，丟了旅遊指南開始看小說。

我進浴室準備沖澡時，竟在鏡中看到令我尖叫的事。

「哇——！」

老德先生衝進浴室，他以爲發生了什麼大事，再一看，我全身都起了蕁痲疹啦！中午吃的鮮鮭魚決定來找我的皮膚玩耍。

「看起來不大有趣。」老德先生說。

我哭喪著臉，我討厭吃魚後的過敏！

不過奇怪的是，這疹子不癢也不痛，只是從腋下開始起疹，接著就到腰的兩側，接著是大腿內側，臉上則完全沒有。疹子小小的，聚成一塊一塊有點像紅色的銀河。

眞奇怪，一定明天就好了吧？現在又沒藥，能怎樣？

我決定去睡覺，我相信明天一定會好。

抱著枕頭，想像是擁抱著珠寶盒星團；在夢中數著我的星空珠寶盒，裡頭有八顆紅寶石星星，還有南十字星。

這就是我最喜歡的財寶，我是天下最幸福的女人……

原住民心中的天神

「我知道在我把括那扣惹生氣之前該準備什麼了！」老德先生在喝早餐咖啡時對我說。

我咖啡差點沒噴出來！一清早居然是在想被駝羊吐口水的事！

「喂，你好了沒？我們還要一起旅行吧？如果是，請你別去惹括那扣！」老婆快受不了了。

「就是想出解決之道啊！怎麼被吐口水又不變臭嘛！」老德先生現在的模樣好像是個十歲的小孩。

低頭吃草的括那扣。

「厚，你還來眞的喔！」我抱住頭作痛苦不相信狀。

老德先生根本不理我，繼續說：「很簡單啊！去找來一個大塑膠袋，挖出眼睛、鼻子，穿好之後去把括那扣惹火，牠不是就會噴口水了嗎？再把塑膠袋丟掉就好啦！」老德先生說得很高興。

我一聽竟然大笑，笑到快流眼淚！唉喲，怎麼會有這麼想看括那扣吐口水的人呀？而且用那麼突發奇想的方式。

「不行，眼睛會瞎！」藍色太陽項鍊這麼說。

我們正往健行道上開始今天來回七個半小時的山路健行，要去看名聞遐邇的百內塔山。

「誰都不敢試，萬一被臭口水噴到眼睛就慘了。」藍色太陽項鍊很正經地說。

聽到這個，老德先生才悻悻然打消了剛才他那個快把我笑到肚子疼的主意。

百內塔山的魔力

今天司機迪耶哥也跟著一起去爬山，通常他都會留在帳篷區消磨時間，藍色太陽項鍊說迪耶哥想減肥，也不想錯過我說的笑話。

眞慘，我哪有說什麼笑話？看來我要耍耍端莊才行。

旅館給我們準備了中午的餐盒，我們各自放進背包。今天我們全換了登山鞋，要不然很難應付碎石子滿佈的山路。藍色太陽項鍊說，他一個夏天就要換一雙厚底登山鞋，有一次還在爬過百內塔山後磨穿了鞋底！

我聽著走著，開始擔心等一下自己會哭著說爬不動、爬不動，很有可能啊！連天天走這段路的導遊都磨穿鞋子ㄟ，眞擔心！

「野馬！」帥帥導遊的眼力眞厲害，看見遠處的一個山頭有一群智利野馬。

我拿出望遠鏡，才看見那一群駿馬，眞的是超威風凜凜地在山頭甩鬃毛ㄟ，好漂亮喔！

「喂，快點！」老德先生又開始叫我快走。

CERRO ESPADA

我趕緊跟上，卻發現山坡越來越陡，空氣很稀薄的樣子，怎麼會這樣？才走半個鐘頭而已ㄟ！

我喘吁吁地奮力爬上一個坡，看見胖胖的迪耶哥已經坐在石塊上休息了。

我指指前面，問怎麼只他一個人？

他哇哇哇用西班牙文好像說自己跟不上，老德先生和太陽項鍊走太快了。其實我也很想休息，不過藍色太陽項鍊說一定要在七個小時內來回，要不然一入夜，伸手不見五指，山裡又會吹狂風，將是很危險的事，很多登山者就這樣被吹進冰湖的溪水，再也沒被尋到。一想到這兒，我就打起精神扔下迪耶哥，用力地再繼續爬。

爬百內塔峰時，常常假裝回頭看風景或照相（這張就是在這情形下照的），事實上就是快爬不動了……

也有很多其他的登山者用很快的腳步超過我啦！大家的腳力都很好ㄟ！我看他們都是背著很大的背包，是準備上山紮營的登山者。再看看自己小小的背包，只裝著好吃的午餐盒，還走這麼慢，眞沒臉！

百內塔山爲何有這樣的魔力，讓一堆愛山的人前來瞻仰？

其實它就是地底在一千多萬年前火山噴出又冷卻凝固的岩漿，無色結晶物質讓三座有如瘦高塔樓的山峰，變成光滑潔白的花崗岩，反映著金色的朝陽和日落，天氣變幻的無常陰影和亮光。原住民將三座塔山看成天神一樣，時時環繞山頭的白雲活像有仙人在其中生長，而登山者則想征服陡峭站也站不住的塔頂。

北塔、中塔和南塔，分別由義大利人和英國人登頂，那年旅遊書寫著是西元一九五八年。

喔，先說明一下，我沒有要去征服塔山，我能征服的只有蛋塔啦！我們只是到塔山下的登山營地而已。眞正的登山隊是從塔山營地才開始向上爬的，我們只是健行啦！

說是健行，老德先生硬是走得飛快！我已經快看不見他啦！

不過回頭看看山中星羅棋佈的小湖和景

觀，覺得再往上爬一定更漂亮吧？況且我還領先迪耶哥呀！我這麼安慰自己。

藍色太陽項鍊停下來等我。

「還好嗎？」他問。

我喘著大氣問什麼時候可以休息？

「再撐一下，過了這個高坡，就可以看到Valle Ascencio小休息站了。」他說完就轉身要追上老德先生。

我看看手錶，挺佩服自己的，已經走了兩個半小時了！

千辛萬苦登塔山

我們只在小休息站外喝了點水，就決定繼續朝百內塔走。

從這邊看百內塔已經很壯觀。三片扁扁的大石頭，白白的，正隨著天氣變換著顏色。我如果是印地安人，一定也相信這幾座岩漿山不可隨便侵犯ㄟ！

說實在的，走到最後要爬石堆陡坡時，我快要走不動了！

「我要吃巧克力，」藍色太陽項鍊說，「你們也準備最難的一段路吧！」他告訴我們。

「準備啥呀？」我累得靠著問老德先生。

「照他說的就沒錯啦，拿出餐盒中的巧克力來吃吧！」老德先生找了塊大白色石頭坐下來。

我瞇眼望望那堆白石頭陡坡，雖然不是很高，但我知道我們所在的位置已有海拔一千多公尺，已經是舉步維艱啦！我拿出巧克力，明白這是我們要補充的體力。

我實在無法想像，怎麼有人能爬得上海拔兩千八百五十公尺的百內塔？哇，那得吃多少條巧克力呀？

還沒想完，老德先生和藍色太陽項鍊就揮揮手，表示要攻最後白色石頭陡坡啦！

當我用雙手攀住第一塊大白石爬上去的時候，就已經氣喘吁吁快站不住，抬頭一看，大概還有幾百塊大石頭在陡坡上等著我、對我微笑招手哩！

因爲全是白色的石灰山石，現在出了大太陽，反射的強光讓我根本像是閉著眼睛在爬！

老德先生因爲超前很多，看見我的狼狽模樣，就想照張照片好回家笑我。嘿嘿，幸災樂禍的結果是不知怎麼一失手，照相機就這麼從陡峭的山石坡上滾下來，七磕八撞，相機都快散掉！

「哈哈哈！」我喘著大氣從下坡嘲笑他，哼，這就是想嘲笑老婆的後果！

老德先生也笑起來，跑下來撿了相機，繼續想追上藍色太陽項鍊。

聽見天使的聲音

我低著頭只知道往上爬，用盡全身力氣，忽然有個銀鈴般的聲音在我耳旁響起：

「別擔心，妳馬上就會看到『它』了！」

哇，我還以爲自己昏倒，聽到了天使跟我說話的聲音呢！

一抬頭，原來是已經要下山的登山年輕小女孩在跟我說話。

「加油！看到『它』，妳就會覺得很値得喔！」小女孩好心地鼓勵我，啊，天使也不過就是這樣的人吧！

我笑著點頭。

老德先生叫著我又揮舞著雙手，我一看，那三座白塔真的就在他身後啦！我叫他別動，我替他照了張照片留念。

我來到白石坡頂，眞的不相信自己的眼睛，三座塔山一定是石精，要不然怎麼會有那樣的萬種風情？身形巨大的兀鷹，在塔山的四周飛行，可是現在兇猛的飛禽，居然在塔山前面看起來像一隻小鳥般溫馴。山谷中有個圓湖，水中充滿著石灰岩漿的白土，陽光掃過時，湖面平滑得像可以跳舞，烏雲一來，湖水竟像一顆圓圓黑色的珍珠。

法國電視台的外景隊，正架著攝影機在拍百內塔，聽說要花一整個星期在這兒紮營，只拍百內塔山的各種顏色變幻。

「帶大刀的人！」老德先生小聲對我說。

「？」我冒出問號，怎麼突然冒出這麼一句話？

帶大刀旅行的以色列青年。

我再一看，可不是，我們眼前眞的有個頭髮亂亂的年輕人，背著一把大刀，眞的是大刀ㄟ！而且沒刀鞘，背在他頸部到腰部之間，一走路刀就亮閃閃的，嚇死人啦！

這跟百內塔山的平和景象完全不和嘛！怎麼會有人背一把大刀旅行呀？

「是以色列人。」藍色太陽項鍊半躺在一塊大石頭上說，「以色列的年輕人把來爬百內塔山當成重要的成年禮。」

「那背把大刀是什麼意思？」我問。

藍色太陽項鍊聳聳肩，說：「他可能以爲巴達哥尼亞有很多樹需要披荊斬棘吧！他看起來有點失望。」

我們笑起來，而最後才爬上來的迪耶哥問我們要不要吃午餐？

我聽了覺得更想笑，喂，迪耶哥，你不是爲了要減肥今天才跟來爬山的嗎？

迪耶哥才不管呢！對著雄偉的百內三塔山，咬下大大一口厚厚的羊排三明治。

冒雨趕山路的考驗

藍色太陽項鍊跟我借去望遠鏡，他追著剛剛那幾隻還在空中盤旋大兀鷹的蹤跡，然後說：「沒時間吃午餐了，快下山，大兀鷹回巢了。」

「咦，陽光正好呀？幹嘛那麼急？」

「大兀鷹已感覺到潮氣了，馬上就要下大雨！」帥帥導遊話還未落，狂風就迴旋式地吹起。

我們急急地下山，唉呀，這是最難的部分！風又大站不住，坡又陡硬石又多，我的膝蓋隱隱作痛！

還有比這個慘的嗎？

還沒走到小休息站，就下起了傾盆大雨。

窄窄的小土山徑被上游沖下來的溪水弄得只有黃泥，踩一腳就陷下去，黏黏的石灰土讓我走得更加費力。

這時後頭又來了騎馬登山的隊伍，我快要被擠到軟山壁裡去啦！馬和騎乘的人也不好受，只要馬一失蹄，連人帶馬都會跌進深谷哩！

讓馬隊過了，路更爛啦！馬蹄踩過的陡坡小路，唉喲，快昏倒了！還有好幾大坨馬糞ㄟ！

「誰教妳走這麼慢？我們剛有超前馬隊，嘻嘻！」老德先生笑我。

我們四個人都淋得像落湯雞，正握住小休息站裡買來的熱即溶咖啡暖手。

還好登山衣服都是防水的，我們把衣服晾在休息中心外的欄杆上。

雨根本不停，從山中四面八方健行山道出現的登山避雨客，把簡單的小休息站擠到快爆。木炭爐送來一點溫暖，不過登山客身上亂七八糟的怪味，也開始在小木屋裡瀰漫起來。

爲了趕在日落前回到深山小旅館，我們穿上外套直奔大雨中下山。

因爲剛好是山裡的溪水最寬闊的河道，到旅館前會有一個大陡坡要爬上去，走過一道很簡陋的吊橋才會到旅館。我一看都快哭出來了！因爲一路下坡，腳趾和膝蓋都頂住全身的重量超過四小時，現在又得爬坡，一陣無力！

老德先生爲了鼓舞我，就想辦法逗我笑，他說：「一點也不難呀！妳看我，用很快的速度跑上去喔！妳也試試看！」

「我不要，我不要！」我還沒叫完，老德先生就用全力，跑上那道坡！哇，一下子就跑上去了！真好玩，不過我累了就會想笑，看到老德先生那種一鼓作氣狂跑的樣子，我笑到跌坐在地上！

「哈哈哈！」連藍色太陽項鍊和迪耶哥都笑死了！

老德先生真可愛！這一笑，讓我有了新的力氣爬上陡坡，原來人還是要受到鼓勵才會堅強喔！真是感謝老德先生啊！

喜歡有熄燈時間的生活

「喂，妳的鞋有夠髒！」老德先生叫住我。我心想他還不是一樣嗎？還說我咧！

回到旅館房間的時候，才發現老德先生細心地脫下了踩了

百內塔山的冬。

一天的「黃泥登山鞋」，拿在手中進客房大門，不像我已經在乾淨的地板上踩了好幾個髒腳印。

「呀！眞對不起喔！」我不好意思地跳起來，趕快脫掉我的登山鞋。

接下來是用暖氣烘濕衣服的時間。

我進浴室看看自己身上的過敏疹子，好好的還在那兒，不痛不癢，不過也一點都沒退。眞奇怪，這到底是怎麼回事？

洗了澡，拉開窗帘，窗外已經漆黑一片，看見還有陸續下山的健行者，一盞盞小手電筒的亮光在山路上明滅，可能是被雨困在更遠山上的人吧？要不然是沒有人願意冒險留在山裡的。

「我的膝蓋在發抖。」我對老德先生說。

「我的也是。」他躺在床上說。

「可是我們眞的看到了百內塔山！」我高興地說。

燈光沒了，山中旅館的發電機結束了今天的供電，整個旅館一下子全暗了下來。

「我喜歡有熄燈時間的生活。」我對老德先生說。

他沒回答，已經睡著了。我本還想問他關於明信片的事，嗯，明天再說吧！

我揉揉膝蓋，很快地也睡著了，在靜到不能再靜的百內公園深山小旅館……

百內角峰。

少女的夢中情人

如果我再不打探藍色太陽項鍊的戀愛史，就太對不起自己啦！

帥帥的導遊一定也像Punta Arenas那位褐色眼瞳的迷人導遊一樣，有著愛他愛到不行的女友吧？

老德先生說我太八卦了，人家的私事去問那麼多幹嘛？

唉喲，老德先生你眞不了解人生，愛情是很可貴的ㄟ！而且藍色太陽項鍊說話像個小詩人，女生一定都愛的喔！

清晨一上了吉普車，我卻來不及問，帥帥導遊馬上就跟我們介紹今天要看的行程：

「因為百內公園很大，所以只好用冰山湖來分區。公園總共分有八個冰湖區，我們今天時間只夠看其中的一個藍湖區（Blue Lagoon）。藍冰湖後方就是昨天我們看到的百內三塔山，是世界知名的風景……」

厚，連換氣都沒有，他也太專業了吧！我本來還想問他家的愛情八卦，都沒機會。

哼哼，老德先生冷笑兩聲，很高興老婆沒機會問無聊的問題。

我回瞪他一眼，這表示還是會問。

藍色太陽項鍊不愧是熟知此區，開始沿路跟我們分析公園區內的四個大地形：草原區、灌木叢區、森林區和安地斯山沙漠區。

我聽得霧煞煞，什麼？這兒還有沙漠區？

藍色太陽項鍊說，像百內塔山山腳的乾燥石礫地帶就是沙漠區呀！寸草難生。

帥帥大男生就不停地叫迪耶哥停車，教我們認各區的植物、動物。眞神奇，除了括那扣會成群從車前跑過去外，還有小狐狸ㄟ！牠孤單單地站在黃黃的草原上，讓我想到《小王子》那本書裡的小狐狸，不過牠一下就不見了，因爲牠的毛色跟黃草原一模一樣！

路旁竟然還出現了鬼鬼祟祟的臭鼠跟穿山甲，呵呵，眞有趣！

Nandu！這種大鳥跟鴕鳥長得差不多，是這兒有名的代表動物喔！

ZURRO EN VALLE NEVADO

迪耶哥將車停在一群Nandu旁讓我們近距離看看。

哇，我越來越高興！還有什麼動物呀？

「昨晚在營地，有這附近的農人來聊天，說昨晚有人看到了Puma。」

藍色太陽項鍊現在左看右看，似乎期望看到百內公園中人人都想看到的美洲獅。

「嘿，能看見那就太讚啦！」我說。

帥帥導遊笑了笑說：

「Puma的身手太矯健，動物難逃牠的魔爪。從前有許多歐洲人來將牠獵殺，讓牠們的數量今天要用保護的方式增加。Puma能在岩石間疾走，也能在草原上追逐獵物到口，牠吃鳥兒、Nandu或括那扣，牠是這兒的天王，沒有敵手。美國國家地理雜誌的美洲獅專輯，便是拍攝這一區的一隻母獅叫Lisa，為了追蹤母獅的生活，攝影小組整整三年在這兒駐紮。」

「喂！停車！」

藍色太陽項鍊突然向迪耶哥說。

遠遠的草原上有一群大兀鷹在地面搧翅，一定是Puma剛走，留下的獵物殘餘，才讓很少下地面停留的大兀鷹聚集。

我們下車跑過去，哇，真的ㄟ，大兀鷹正在啄食一具括那扣肚破腸流的遺體。我們還未靠近，十幾隻黑色身軀的大鳥們便一哄而散。

「嘔！好臭！是不是括那扣對Puma吐臭口水呀！」我摀住鼻子。

藍色太陽項鍊說是Puma的排洩物，表示牠剛來過這兒，剛吃完獵物離開。

果眞在旁邊的灌木叢後面有一堆好大的Puma屎！

嗯嗯，想到這時黃色的美洲獅可能就在附近，感覺眞刺激！

接下來整整一天，藍色太陽項鍊一腦子豐富對大自然及野生動物的知識，讓我對他眞的非常著迷。

這樣的男孩——會釣魚、會打獵、會在海中和海豚玩、會造木船、可以登百內塔山（爬到塔山上）、會撿石頭做首飾、認識一大堆山中的動植物、喜歡Santana的音樂、喜歡做菜……，唉呀呀，眞的是少女的夢中情人喲！

後來在回程的車上，他開始放Santana的現場演場會CD，我們聽到一起搖頭晃腦，眞是太棒啦！

沒想到，藍色太陽項鍊更拿出了一本……

被獅子逮到的括那扣。

你才是帶給我幸運的人

不騙大家，我以爲藍色太陽項鍊這樣的男孩可能對文字的東西不是很注意，然而他卻拿出了密絲特拉兒的詩集！

他可愛地問我們：

「密絲特拉兒。喜歡嗎？她寫的大自然才是眞的大自然！她詩中的愛情，嗯——」

唉呀呀！我快要被這個帥男迷昏過去囉！

他竟然讀智利女詩人密絲特拉兒的詩集（她是一九四五年諾貝爾文學獎的得主，但可惜台灣對這位西班牙文世界知名詩人的創作，譯介實在少得可憐！她也擅寫給小孩的詩喔！）！南美洲還有個「密絲特拉兒文化獎章」，二〇〇一年的得主是英國歌星Sting。因爲他寫的那首「They Dance Alone」，就是在控訴智利強人政權Pinochet將軍藐視人權、濫殺無辜的後果，讓許多女人失去了心愛的人。

喔，扯太遠了！反正藍色太陽項鍊眞是浪漫一帥男喔！呵呵！

不過，你別太失望，八卦我有努力探聽，他已經結婚囉！有一個很可愛剛出生的女兒，老婆也是大美女一名！太完美了，這是我喜歡的故事……

藍色太陽項鍊有夢嗎？

有的，有的，他的夢還是跟百內公園有關：他要籌錢買一艘很棒的小船，冬天帶著全家去垂釣，遊遍所有巴達哥尼亞的峽灣和百內公園的冰湖！

哇，能一生都在這樣的地方，用如此的方式生活，確實是很多人的夢想呀！

嚮往對生命自然的廣闊與瀟灑

「跟你們講件好玩的事！」藍色太陽項鍊在回Puerto Natales的中途公路休息站的小咖啡店跟我們說。

「有一回冬天我到湖上垂釣，在船上睡到半夜，忽然發現船不動了！本來跟著水波搖晃的船，發生了什麼事？跑上甲板一看，湖水結凍啦！船被凍在湖裡，一動一也不動！」藍色太陽項鍊說得好快樂。

我聽得都呆了，竟有這種有趣的經驗！

「那怎麼辦？」我擔心地問。

「怎麼辦？等冰化呀！跟大自然沒得爭論，足足等了兩天！」帥帥導遊說。

可愛的莫利修，你的生命眞精采！這給住在城市裡汲汲於名利的人聽到，一定會不屑地認爲你在浪費時間吧？可是我眞是羨慕呀！倒不是一定要這樣跟大自然奮戰的生活，而是你那份對生命自然的廣闊與瀟灑，是我來巴達哥尼亞旅行之前，從未感受過的東西……

藍色太陽講著這個故事的時候，小咖啡店外正有一個日本男孩騎著腳踏車來問路，他準備騎往Punta Arenas的方向，卻在這荒野公路上迷失了方向。

我看他一部腳踏車上載著所有的家當：帳篷、睡袋、食具、背包……，騎起來搖搖晃晃的，眞讓人驚訝他是從阿根廷巴達哥尼亞一直騎到這裡的！哇，還有好長好長的路要征服喔！小咖啡店主人的小哈巴狗，跟著確定了方向的日本單車騎士跑了老遠，藍色太陽項鍊說，小狗總愛護送單車騎士一程，替他們解解悶！

呵呵，眞可愛又善解人意的小狗！

回到Punta Arenas的旅館時，港灣中已漁火點點。藍色太陽項鍊說明天早上會來載我們去機場，搭飛往聖地牙哥的飛機。我說不對不對，我們是該自己搭巴士去機場的呀！從這兒到Punta Arenas來回要六個鐘頭，這不是莫利修的工作。

「迪耶哥跟我都覺得，明天是送朋友去機場，不是工作。」藍色太陽項鍊的感性眞是少見。

晚上吃了頓最佳的超美味晚餐，因爲老德先生已跟我說好不再跟我到街上亂轉。他邀請我，據說是Punta Arenas最好的餐廳，就是我們住的旅館餐廳啦！吃一頓巴達哥尼亞之夜的晚餐。

老德先生吃了鮮魚大餐，我則因爲吃了魚的過敏疹子還在，選了鮮磨菇醬汁小羊排。

巴達哥尼亞的美麗與美味，今晚之後呀，何時與你再見？

告別熱情的戀人

陽光出奇的豔麗！

巴達哥尼亞似乎像個充滿熱情的戀人，要把她最漂亮的一面讓我們帶在回憶中。

「再來嗎？我們一定會再來吧？」我問老德先生。

他摟摟我的肩，說：「嗯，好呀！」

我們正坐在旅館大廳等藍色太陽項鍊和迪耶哥來載我們去

機場。

「我還有件事要告訴你。」我說。當然就是要問老德先生明信片寄了沒呀！眞的忍不住了。

「寄啦！」他笑著說。

「怎麼可能！什麼時候？我怎麼不知道？」我站起來驚訝地說。

老德先生一副沒事的樣子說：「妳回家就知道了！」

不可能！我一直都有觀察他呀，不可能不知道他何時寫何時寄的！眞可怕，原來他還知道我已經寄了明信片，難怪他會老神在在喔！

我想了半天，還是不知道是啥時他可以寄出明信片。正想問，藍色項鍊就依約出現，他滿臉笑容地說，我們是他看過最幸運的遊客，巴達哥尼亞在三月初秋的天氣，很少會出那麼幾天的好豔陽。在我們之前的那一個登山隊，足足從抵達到離開的七天，幾乎無時不下著大雨！

其實，我心裡想我大概知道爲什麼吧！因爲我看到了你的藍色太陽項鍊呀，而且從你的太陽項鍊，我感受到你對巴達哥尼亞的愛情。這種和諧的感覺，或許讓充滿冰山的世界都會溫暖起來吧？

帥帥的莫利修，你才是帶給我們幸運的人……

「如果你們再來巴達哥尼亞，一定要跟我聯絡！」在機場，藍色太陽項鍊這麼說。然後給我們一人一個超溫暖的擁抱。

迪耶哥不擅言詞，跑來重重地把我抱了個滿懷，雖然不是很浪漫，卻感受到他眞的喜歡我們，我們更喜歡他。

智利航空的內陸航班，載著我們在暖暖的陽光中飛往首都聖地牙哥。

唉！巴達哥尼亞，我想我已開始想念你。

探訪奇妙的城市

這是個奇妙的城市。

往東五十公里可以有雪山滑雪，往西一百公里就是可做日光浴的海水沙灘。

最棒的是靠近安地斯山脈的大片葡萄園和酒莊，有著純歐式的酒窖，卻穿著南美的風土和陽光。這裡或許和巴達哥尼亞的氣氛完完全全不一樣，但要我再住上幾個月可能也會感覺不夠長。

這兒是南美第五大城市，也被人稱爲南美的歐洲。

這兒沒有人會搶劫你的東西，走在路上總是很安心，一掃我本來以爲南美國家很不安全的錯誤印象。

貫穿這個大城市的河，名字是：瑪波秋（Rio Mapocho）。

另一個與瑪波秋河平行穿越這個城市的，是在沃伊金斯大道（Ave. O'Higgins）下的長長的聖地牙哥市地下鐵。

不管是沿著河走或搭地鐵，這個城市從起站到終站，都擠滿了人。

除了人還有野狗，那些狗都很友善，到處都看得到；牠們喜歡翻垃圾吃，所以整個城中的垃圾筒都架得很高，我想丟垃圾對小孩是件苦事，一定得由大人代勞。

除了野狗，還有人稱「黃熱病」（Yellow Fever）的市公車。這些開得飛快的黃顏色的公車比野狗危險太多，幾天之中我們跑著過馬路、閃公車、跳上公車、追過站不停的公車，老老實實地踩著與另外五百萬個生活在這個城市的智利人般的步調。

不過，我們白天的行程，由一位導遊和一位司機來負責。

這對我們而言實在很不習慣，不過這是旅行社所安排的既定行程，只好乖乖地跟著走。導遊的素質都很好，很讓人驚訝他們都有大學以上研習歷史或經濟的學歷，確實就像當上課一樣來聽著他們跟我們解說的景點，而且他們都能說兩國以上的語言，太令我佩服啦！

南美的歐洲

白天的行程一完，老德先生和我馬上就像下了課的學生，立即跳上地鐵，準備自己去看看這個城市，因為聽了一天的智利歷史和必去的景點介紹，現在總想自己去逛這個大街又直又長又摩登的城市。

聖地牙哥市區內騎馬的女警察。

我拿著城市地圖猛搧涼風，我們選了個下班尖峰時間乘地鐵去吃晚飯。地鐵站的月台都很大很大，可是還是讓我覺得裝不太下等車的人；人多車多的城市，總是有著悶熱的空氣。老德先生說這兒有個類似像台灣啤酒街的地方，問了導遊位置，現在搭地鐵去逛。

因為是十六世紀由西班牙人Pedro de Aldivia來佔領後所建築的城市，這兒長得跟歐洲的城市一模一樣。由Santa Lucia小山丘開始建築的聖地牙哥，有著如西班牙帝國西洋棋棋盤似的市街規劃和大大小小的廣場。山上的公園或植物園是許多戀人幽會的地方，而瑪波秋河邊的傳統夜市則讓我興奮得發狂。

不管走到何處，你總看得見安地斯山脈的白霧，等著公車的當兒，也可以欣賞群山間的日落和晚霞薄暮。「黃熱病」的司機趕著載多一點客人，因為是以載客人頭和時間的方式來算公車司機的收

在蘆薈上留「到此一遊」。

入。大公車的排氣管都像煙囪接到車頂熊熊冒著黑霧，大概是想這樣可以減少把廢氣直接吹到等車的人臉上、再吸進肺部的痛苦。

絕不因笨魚疹放棄旅行

「唉喲！」我站在街邊對老德先生說。我們吃完晚飯準備回旅館的路上，我發現皮膚很不對勁。

「啊，妳怎麼啦？」老德先生驚訝地看著老婆皺著眉頭的模樣。

「疹子開始癢了！」我說著開始摸摸自己的肚皮。

從巴達哥尼亞冷冷沒污染的空氣離開後，來到聖地牙哥的谷地天氣裡，吃魚過敏已數天未退的疹子，被較溫暖的空氣鼓譟得癢了起來。

我走到路燈下，對著瑪波秋河掀開衣服一看，哇！疹子直直長到肚皮上來啦！而且顏色加深更紅了！

我哭喪著臉，大叫：「我不要去醫院！」

我是最討厭因爲生病而中斷旅行的人，我怕老德先生會因爲過於謹慎而要我去醫院，萬一醫生說我不可以繼續旅行怎麼辦？接下來是要去黑島（Isla Negra）看詩人聶魯達的家，還有再飛往北方去智利的沙漠，我不能爲了這種笨魚疹而放棄我的旅行吧？嗯嗯，絕對不行！

老德先生只好建議先去藥房看看，我欣然同意。

到了藥房，最大的問題來了——我們講不清楚發生了什麼事。

聖地牙哥的藥房都跟大超市連在一起，過往的客人很多，該怎麼辦？

好吧，就這麼辦，我只好掀起衣服啦！別擔心，藥房有叫來女藥劑師啦！

「喔喔喔，」她搖搖頭說，「嚴重過敏！妳吃東西過敏的，對吧？」

我在空白的處方箋上畫了一隻魚給她看。

「藥片、藥膏，按時擦，按時吃。」

好的，好的，只要可以繼續旅行，我就是乖孩子，一定好好服藥。

聖地牙哥市區和安地斯山。

迎接安地斯山脈的朝陽

用整整一天的時間出城去酒莊品酒。

站在安地斯山脈下的大葡萄園，感覺眞是漂亮！還有酒莊風情萬種的老闆娘，輕輕自身邊經過時，我們覺得她本身就是超有氣質的美美佳釀。

智利葡萄的種法和歐洲不一樣，乾燥的空氣、相異的土壤，讓豐沃的葡萄不會有壞菌或蟲害來傷，這兒是種植葡萄的天堂！

美酒的滋味讓我們整天自動地把煩惱遺忘，眞想就這樣一起逃離塵世，在安地斯山下的酒莊和酒莊之間流浪……

「喔──，酒鬼！」我指著老德先生說。

「喂，這也沒辦法呀！剛才是妳說要把酒打開來喝的，現在又來不及要上車，怕酒蓋不緊才灌進我的水壺喔！」老德先生抗議地說。

「嘻嘻嘻！來到智利變成這樣ㄟ，把酒裝在水壺喝！」我快要笑死了，雖然是我出的主意把喝不完的酒灌進水壺。剛才品酒時，覺得有一瓶很好喝，馬上去買了就在葡萄園喝將起來，都怪我們旅行時準備得太周到，隨身帶著開瓶器，所以兩個人快樂地在葡萄園邊走邊喝。

「這樣看起來很沒氣質ㄟ！」我搶過老德先生的水壺，開始想在車上再繼續喝葡萄酒。

「是妳沒氣質，跟我無關！」老德先生馬上撇清。

我喝了一口酒，覺得眞有趣，在智利的陽光下喝酒，實在很夠味呀！

幸好我們帶了酒邊喝邊說笑話，回程的路上，我們遇見了大塞車，整條公路像個大停車場！不過立刻跳出來賣大烙餅的小販，似乎塞車在這條進城的公路是很平常的事。

兩個人笑得臉紅紅地回到旅館，根本沒受到塞車影響心情，旅館的櫃檯帥哥跟我招招手。

「可以用了嗎？」我拍拍手說。

他點點頭。是旅館的電腦，昨天他說網路連結今天可用，

傳統西班牙式農舍迴廊（藤籃老太太的家）。

我就跑去辦公室開始上網看新聞發郵件。

老德先生則開始跟小帥哥訂明早五點的計程車，我們要起個早，到聖地牙哥最大的中央菜市場去玩！櫃檯小帥哥聽了笑起來，他說很少住店旅客有人喜歡那麼早去看菜市場。

呵呵，看菜市場可是我最喜歡的事呀！反正紀念碑和博物館都看過啦！活生生的當地人生活也要看一下吧！

競爭激烈的鮮魚早餐店

曾繁華又沒落的聖地牙哥，曾是威風凜凜的經濟大城。現在我們乘計程車奔馳在天還未亮的街道上，看著沒有了忙碌

傳統老酒莊的庭園。

的人車和「黃熱病」的歐洲式的市容和街道，眞的可以幻想這兒幾百年前的輝煌時光。

要去看的中央市場（Mercado Central），則是一八七二年與巴黎艾菲爾鐵塔同時期的建築，墨綠色的鐵架和玻璃透天的圓頂，完全給人就是身在巴黎的印象。

天還沒亮，卡車貨車板車都來自四面八方，爭著湧進這兒來販售南美陽光下生長的各色水果和漁貨。我們走在其中明顯完全是兩手閒閒的局外人，所以一下就被這個人纏上了。

「吃早餐嗎？早餐嗎？」頭髮抹著油往後梳的年輕人，穿著像廚子的白圍兜衝到我們身邊說。

「不吃，不吃，我們要逛一逛。」老德先生嚇了一跳，急著這麼回答。

「爲何不吃？美國人嗎？德國人嗎？英國人？最好的魚粥或魚排，最新鮮！Guten Morgen！對吧？Guten Morgen！是不是這樣說？」油頭年輕人不想放過我們的樣子。

因爲身上不退的過敏還在，一聽到鮮魚粥，就不自覺地摳摳肚皮。

老德先生抓著我的手就往菜市場裡走，以爲經過那家鮮魚早餐店擺脫那個油頭小子就

聖地牙哥市區。

好了。

可是沒想到，一進大市場，哇！那裡頭全是在賣鮮魚早餐的呀！現在坐了一圈圈的智利人在吃早餐，感覺就像台灣的夜市小吃，一模一樣ㄟ！

「明星推薦店喔！來我們這家，好吃啦！」另一個拉人吃早餐的跳過來跟我們說。我看看他那家店裡牆上，眞的掛著智利影歌星來吃早飯的照片和簽名。

「我們這家讚！完全南極最鮮活魚，嘗嘗看吧！」又一個拉人吃早餐的。

還沒走幾步，我手裡被遞過來的早餐店名片給塞滿了。厚厚，早餐店的競爭有夠激烈！

我抓了一個人問，智利人都這麼早吃早餐嗎？

「不是啦！」他快被我這個外國人笑昏了，「這些人都還沒睡呀！他們跳了整夜的狄斯可玩到現在，累了來吃吃早飯，才準備回家睡覺啦！」他笑著解釋。

原來這就是聖地牙哥人的夜生活呀！眞的滿精采的喔！

賣蔬果的那一區是在市場的中央，這兒的感覺最像老式巴黎的建築氣氛，農人或小攤販點著暗黃的小燈泡在準備擺攤營業。

一隻小黃貓在小水果攤前用舌頭理毛，一看到我們便跳過一個鐵柵欄裡去，我跟過去一看，有個裝水果的小紙箱，那裡頭還有一整窩的小貓咪。

「貓的天堂吧？」我說。

「專吃早餐魚的貓。」老德先生快被早餐拉客的方法搞昏了，說出了爆笑的話。

我們走出中央市場，街上出現了在瑪波秋河邊吃路邊攤早餐的人潮。野狗也全都跑出來了，一輛輛「黃熱病」又開始了一天爭先恐後的衝刺。

對街人行道上有座西蒙．玻立瓦將軍的半身頭像，不知是否鑄的是他一八一九年三十六歲時，帶領兩千五百大軍越過安地斯山脈，擊潰西班牙皇家軍隊的英勇模樣？銅像的臉，正面對安地斯山脈此時山頭的晨曦和越來越吵嚷的中央市場，銅像邊的清潔隊員正把黃土路上的空氣越掃越髒。

不管是將軍，是家庭主婦；不管是成功，還是黯然神傷，歷史就在這一天的循環裡，全看你要讓它保持無聊的一樣，還是加點創意讓它走樣。

如果將軍也可以快樂地走走迷宮，或許世界還是會有無可救藥的希望。

我多麼多麼喜歡這個城市的清晨早上，安地斯山脈的朝陽初昇，整個世界開始沸沸揚揚。

MERCADO FLUVIAL DE VALDIVIA

黑島上的驚喜之旅

黑島不是島。

這是確定的事。

聶魯達喜歡船卻不愛水。

這是奇怪的事。

不愛水的詩人，跟他的船住在不是島的黑島上，這就是吸引我要去那兒拜訪的原因。

每天面對太平洋寫詩的詩人

從聖地牙哥城出發，往海邊Valparaiso的方向，黑島就在一個叫做San Cristobal的小山丘上。當地人叫這山丘向海的小山頭爲Chascona（意爲：有著亂髮的女人）。

聶魯達一九六〇年來到這兒開始建小房子，他想每天面對著太平洋寫詩。

在別人眼裡，黑島一帶的沙灘風大且毫無可取之處，但在他眼中卻是如此美好，他曾寫道：

「在黑島上到處開著花，小黃花整個冬天都在，春一來它們就變藍，然後又變成酒紅色。海是整年都盛開著，海的花是白色的，海之星形的花葉是鹽做的。」

看到這種描寫，我是忍不住一定要來黑島啦！雖然聶魯達在智利共有四個住處，不過黑島是收藏他最多東西的地方，也是他的永眠之處呀！

來黑島前，我問導遊爲何有關於黑島的旅遊介紹那麼少？

導遊很誠實地告知原因：

「大多數的旅行團不來黑島，因爲不是每個人都讀聶魯達的詩呀！再來呢，歐洲人也不會有太多人參觀，因爲一九七一年頒給聶魯達諾貝爾文學獎的時候，歐洲人說是因爲當時南美的政治狀況才讓他得獎。美國人根本很少關心聶魯達是誰，我們曾排過幾團，聽說被罵得要死！只有南美洲的人才會對來黑島有興趣。」

喔喔，原來是這樣。

我想了想，我純粹是喜歡他的詩，所以我來黑島很合適；老德先生因爲我喜歡聶魯達，所以他說可以相陪，沒問題。

我們來到黑島的那個早晨，陽光普照。

連聶魯達住處博物館的解說都是西班牙文的。看來來到這兒的外國遊客眞的不多，可是我卻已經被入口的氣氛給吸引住啦！

我高興地快樂跳起來！看呀！那是聶魯達不曾下過水的船哩！

我抱住老德先生，高興地搖著他的肩膀說：「眞的來到聶魯達的家啦！」

歡迎客人的玄關小貝殼

「等一下！」老德先生說，「我要去上廁所，聽說等一下的導覽是四十分鐘。」

唉呀，老德先生眞實際，不過他說的沒錯，我也該去上上洗手間，從聖地牙哥出發到現在快三個鐘頭哩！

我走去洗手間的時候，看見了一間「聶魯達餐廳」，整個餐廳的景觀是向著太平洋ㄟ！我看看餐牌，厚厚，全是照著聶魯達所寫的「食譜詩」所烹飪出來的食物哩！太好玩了吧！

館方安排了一位美國籍的女導覽帶我們參觀聶魯達的家。

「不准照相，不能觸摸房子中的任何物品，不可擅自打開任何櫃子，不可離開導遊視線。」女導遊在開啓聶魯達家的大門時這麼介紹著參觀規矩。

「哇，還有什麼不准的呀？再說下去我快變三歲的小孩啦！」我笑著說。

女導遊微笑說她也不願這麼嚕嗦，不過等我們進去看看就

黑島的海邊。

知道館方爲何那麼雞婆規定囉！

「眞的嗎？」我的好奇心昇起來了。

女導遊接著自我介紹，原來她也是很喜歡讀聶魯達的詩，本來在大學教書的她，來智利聶魯達黑島博物館當短期義工，希望可以把聶魯達可愛的生活介紹給更多人。

老師導遊用鑰匙爲我們兩個人開啓了聶魯達家的大門，她說需要英語導覽的人很少，今天一整天只接到我們兩個人的預約。

開了門，玄關很小。不過圓形玄關的牆上竟是一座與我同高的老木刻像——一個古船船頭的神，而玄關的地竟是一圈圈貝殼砌成的。

聶魯達家的入口（家內現不給人照相）。

這就是「鼂魯達餐廳」。

「聶魯達喜歡在海邊拾小貝殼，他認爲這些小貝殼會替他歡迎客人，所以排在玄關的地上最適合。」老師導遊說。

「哈哈哈！」我聽了笑起來，果眞有趣！

往右轉，是客廳。厚，眞要死！「不能照相嗎？」我問。

老師導遊搖搖頭。她知道很可惜，可是館方堅持反對有影像流出。

啊，眞可惜！如果可以照相就好了。

各種收藏透露詩人的感性

我環顧這個空間：

客廳是面對著太平洋，整面落地玻璃窗像是被海畫上了一片蔚藍的色彩。

客廳的四周懸吊著十八世紀到第一次世界大戰前古船頭的保祐女神像，是聶魯達爲智利在國外擔任大使的期間，在歐洲蒐集的。掛在一進門口的雅典娜船頭像，穿著藍色的裙子，棕色的長髮，一點淡淡憂鬱的眼神，是聶魯達最喜歡的一尊。

「聶魯達說，這些都是他的孩子喔！因爲怕她們會想家，所以她們全都面對著海。」老師導遊感性地介紹著，「不過，聶魯達也很頑皮啦！曾在雅典娜的眼睛附近抹上蠟，等燃起壁爐時，蠟融了就像雅典娜在流淚，來訪的客人多會嚇得花容失色，聶魯達就會哈哈大笑！」

「哇，這個好，要學起來，這麼惡作劇的伎倆，超讚ㄟ！」我對老德先生說。

老德先生不理我，繼續看客廳。「墊在桌子下的是什麼？」

老德先生問。

是呀，是一個個像菸灰缸的玻璃圓形東西。

「喔，那是一九二〇年以前歐洲人使用的鋼琴腳墊，因爲怕重重的鋼琴腳壓壞地毯，所以用玻璃缸來墊住。聶魯達在歐洲跳蚤市場看到這種沒人要的東西，就買了來墊客廳的桌角。他覺得或許朋友的談話也如同彈鋼琴，會產生美妙的靈感。」老師導遊說。

哇！聽到這兒，我簡直快要昏倒！原來聶魯達也是個喜歡「物非所用」的人！呵呵，難怪我喜歡讀他的詩呀！到跳蚤市場尋舊東西找到新的用法可就是我的最愛喲！我高興得快要大叫啦！

再看客廳後方的挑高處，就是聶魯達滿牆滿架的書，他可能是個書蟲，對吃書從不滿足，看那前後重疊又高又低的「書谷」，覺得他的人生是在書間翩翩起舞。這只是百分之一的藏書，他捐給圖書館的書已多到不可丈量，他有時睏倒在書上，在夢中因爲有書而不至於心盲。

他有各色的玻璃水杯解渴：

藍色的玻璃杯可喝下憂鬱，紅色玻璃杯治癒冷漠；綠色的玻璃杯讓他將春天喝進肚，粉紅色的水杯則裝滿著愛情。一整櫃不同顏色的玻璃杯，裝著幾百種不同的心情。老師導遊說聶魯達眞是感性，僅是白開水也可以賦與這般詩意。

把想像力運用在日常生活的詩人

走過小通道來到飯廳。

「還是不能照相？」我不死心再問一回。

霸魯達家的客廳，真的像一艘船！

老師導遊依然微笑著搖搖頭。

落地玻璃窗依舊面向著太平洋，窗前擺了超大的各色玻璃罐，聶魯達說這樣可以給坐著吃飯的客人透過玻璃罐，看到海一點別種顏色的想像。大大的圓餐桌曾是古船上的大船舵，掌管著整艘船的方向，只希望客人吃飯的時候不會心理上覺得搖搖晃晃。

房間的地板也是用造船的木材來做的，連整棟房子的造型也像船，眞的快被他的愛幻想打敗啦！

開飯的時候，聶魯達就會扮演起船長，大喊著：「開航囉！」（替代「開飯囉！」），希望大家都能吃得開心豪放。餐廳的一角有著一尊很像南丁格爾的雕像，他希望每位客人

聶魯達紀念館的畫像。

都越吃美食越健康。

廚房有座小小的木門關得緊緊的，上頭貼著一張舊舊的中國古代射騎工筆畫擋住，老師導遊遵照聶魯達遺志，不讓任何人參觀。聶魯達說廚房就像魔術師的祕密，沒有必要讓人知道那裡頭是怎麼回事。

我想起聶魯達在他的詩作《疑問集》中的一個句子：

「死亡到最後難道不是一個無盡的廚房嗎？」(陳黎／譯)

眞的很有意思ㄟ！因爲有很多家庭主婦不是想到進廚房，眞的也有想死的感覺嗎？呵呵……。不過聶魯達最後一個老婆（他結過三次婚啦！）很喜歡烹飪，所以他也曾把老婆的拿手菜烹調過程寫成了詩，只要照著詩念，聽說就可以做出一道菜喔，眞有趣！

他在歐洲（巴黎）蒐集的玻璃瓶（近200個）。

穿過飯廳，就是一個穿廊，穿廊的牆還是面向著海，牆上有整牆的瓶中船呀！每個小玻璃瓶中裝著船，透過玻璃，好像船正飄在窗外的海上，哎，眞的是佩服聶魯達的想像力喔！而且瓶中船的製作者，都是他的好朋友，每送一艘船，就可換他的一首新做的詩，嗯，眞的是太風雅啦！

穿廊另一邊的牆上，則有上百個智利、非洲各種原住民部落的面具和威尼斯嘉年華會的面具；那是一面充滿表情的牆。

聶魯達家門口的紀念品店。

醒著、睡著都愛戀著海的詩人

來到了他的臥室，是在房子的二樓。

床面對著太平洋，枕頭邊放著長長的望遠鏡，就是老船長用的那種望遠鏡。

老師導遊指著床說：

「聶魯達醒著、睡著，都愛戀著海。如果海上有船經過，他先會用望遠鏡看，接著假裝自己是船長，開始表演指揮船員的工作，再跑下樓，到院子裡敲船鐘。雖然看起來瘋狂，不過他一輩子都怕水，只能做個陸地上的船長。」

我合著雙手，聽得都快呆啦！有這樣的人嗎？眞的有ㄟ！

「跟他比起來，我實在『正常』很多吧？」我問老德先生。

「妳不是也會掃地的時候帶望遠鏡看鳥嗎？我看沒差多少！」老德先生居然這麼回答。

聶魯達的臥房也是被他從世界各地蒐集的玩具所塞滿了！最好笑的是他有個好笑的衣櫃，裡面的服裝全是他買來的舊衣服，有宮廷裝、普魯士軍裝、各種大大小的怪帽子和鞋子……，只要遇上家中有客人來，他肯定會穿上好笑的各種怪衣服來讓客人哈哈大笑！

你一定覺得奇怪，這樣的人還可以得諾貝爾獎喔？我也這麼覺得呀，不過當我們接下來看他的讀書工作室時，這種疑慮就完完全全消失了！

老師導遊這次先對我搖搖頭，還是不准照相。

唉呀，眞氣人！爲什麼不能照相呀？

看看聶魯達的工作室喲！分成三個大區域：

自然、動物標本區。這兒有上百種智利的動、植物標本。蝴蝶、昆蟲、海螺和花朵，完全像個博物館。

天文、科學區。各時代的地球儀、地圖、星象圖、放大鏡、古書捲軸；這兒還有他和名人的書信陳列，他最喜歡的詩人是法國的波特萊爾。

最後一個大房間是他的太太所蒐集的中古時期古樂器。各種的七弦琴、豎琴、優克里里琴……，擺滿了一整個房間，讓我以爲進到了一個中古世紀的樂器店。這個房間也是聶魯達喜歡接受媒體訪問的地方，有一個用很多大貝殼做裝飾的壁爐，聶魯達說看到貝殼他才記得起海曾唱過的歌。

詩人「等」來的桌子

接下來是聶魯達寫詩的房間。

老師導遊敲著張窗旁不起眼的木桌，說：「這就是他『等』來的一張桌子。」

桌子要用「等」的？什麼意思？

聶魯達要面對著海寫詩，但要找張和海有關聯的桌子，要不然桌子不能告訴詩人更多海裡的故事，詩人的筆將因此乾涸而死。一個黃昏的海潮，捲來一塊老船上崩壞的浮木，詩人大叫著：「那就是我的桌子！」急忙敲著船鐘告訴妻子與飛過的所有海鳥這件令人興奮的事。

浮木漂盪著不肯上岸，詩人和妻子手牽著手站在海邊默默期盼，五小時後，浮木終於脫離了海潮的糾纏，詩人總算有了想要的桌子，可以開始用詩將生命狂歡。浮木變成了桌子的模樣，聶魯達從此將詩的好壞先與它商量。

聶魯達寫詩冥想的小屋。

聶魯達從未碰過水的小木船，上方是他喜歡敲的鐘。

風向儀是一隻魚，不是雞。

我忍不住了！我哭了！

啊，怎麼會有這麼愛玩的人呀？

老師導遊被我弄得不知所措，她說做導覽那麼久，還沒遇見過有爲聶魯達的生活面貌動容過的人。

「怎麼可能不動容？而且你們還不准照相，更讓我想哭！」我邊說邊擦眼淚。

我一說，老師導遊和老德先生都笑了。

「那下個房間妳也會喜歡吧！」

「什麼？還沒完喔？聶魯達家房間怎麼那麼多？」

幽默又念舊的詩人

老師導遊眞的沒說錯，下一個房間的故事，也眞的超厲害的！

這個房間是聶魯達的「大」玩具間：

有一匹仿眞馬大小用眞皮做的馬，有當地原住民因爲很喜歡聶魯達而送他的手工藝品、羊毛織掛毯、小孩子的圖畫；還有一個只給男客用的洗手間，裡頭是彩瓷馬桶，牆上則貼著很多三〇年代的美人裸女照片，都是胖胖的那種鬈髮美女。在洗手間裡也有個恐怖的非洲頭像，聶魯達說：「對男人而言，就是兩種『出來』，一個是看著頭像『嚇出來』，另一種是望著那些照片的『快出來』。」

「嘻嘻嘻！」我們聽了老師導遊的介紹猛咯咯笑。

那馬呢？

老師導遊微笑著說了這個故事：

「這匹馬曾是城裡骨董店的招牌，當聶魯達還是個五、六歲的小孩，每天上下學的途中他會經過木馬身邊，總停下來摸著馬說說自己的夢想和心願。長大的詩人不曾對這匹馬遺忘，曾幾次表明想買下馬的願望，無奈骨董店說這馬有家傳的淵源，讓詩人失望了一遍又一遍。詩人四十五歲那一年，無情的火燒光了骨董店，老馬站在店前逃過了一劫，傷心的老闆只好讓聶魯達帶回這匹木馬安享餘年，詩人特地造了這個馬房讓馬來住，還有所有設備都像眞馬一般什麼都不缺。

「聶魯達說，要盡量對這匹馬好一點，因爲牠知道所有我的祕密呀！」老師導遊說。

從此聶魯達也不再收生日禮物，所有的朋友要在他生日那天送這匹馬一樣禮物，所以大馬收到的禮物包括有馬鞍、馬蹄鐵，最棒的是聶魯達的農民朋友們送給大假馬的眞馬尾，聶魯達全放在馬身上，聶魯達說這匹馬是世界上最快樂的馬，因爲牠有三副馬尾。

超正點的！一點也沒後悔花一整天只來看一棟房子。

看看錶，眞的超過四十五分鐘才看完，而且還有點走馬看花。

聶魯達死於一九七三年九月，因爲聶魯達喜歡船，他在房前面海的墳墓也是造成船的樣子。

到了黑島，喜歡聶魯達的我，才發現自己稍微開始懂得了一點點的聶魯達。

聶魯達的長眠地，是一艘船的樣子，面對著海。

古老綠洲小鎮風情

我們在卡拉馬（Calama）機場已經等了一個小時。

若在其他地方，我們可能已經使用另外的交通工具，直驅我們要去的地方，可是現在我們非得等旅館的車來接，但就是沒相關的人出現。

我跑出機場瞧瞧，四周只有紅色岩石的火山，還有一條筆直的沙漠公路，其他就什麼都沒有了。

老德先生緊張起來，開始問還留在機場的兩對夫婦，已經確定是跟我們住同一家旅館的人，也在等車來接。現在機場旅客已經走得空蕩蕩的了，雖然外面是陽光普照，不過我們都很擔心如果真的沒人來接我們，入夜後的沙漠機場可會有點不舒服。

和我們同病相憐的一個頭髮微禿的法國人，跑去機場辦公室開始理論，一位負責的先生趕緊跑出來用手機聯絡東聯絡西，而且一再保證車馬上就來。

我坐下來喝水，卻發現可能是心理因素，來到沙漠，一下飛機就把一整罐礦泉水喝光了。

世界最乾燥的沙漠風光

卡拉馬離聖地牙哥一千六百七十公里，下了飛機還要再坐車行駛九十八公里，才會到世界上最乾燥的沙漠：阿塔卡瑪（Atacama）。

這兒從不下雨，聽說一百年間只下過三或四次大雨，因爲水氣全給安地斯山脈一座海拔四二六〇公尺的荒蕪台地給擋住了，這兒乾到無法想像。

我們要住的旅館就在阿塔卡瑪沙漠中的一小塊綠洲上，就算是綠洲，也只長得出三種樹：智利山毛櫸、角豆樹，還有辣椒。

三對夫婦共六個人，坐在機場很是不安。

突然跑進來一個黑皮膚矮個子的人，跟我們招招手，什麼都沒說就叫我們上車。

老德先生拎了行李就往車上跳，他說再不上車哪兒都別想去了。其他人也快快地往車上坐，深怕會被遺忘在沙漠裡的小小機場。

「請給我住宿券。」小個子上了車對大家說。

阿塔卡瑪沙漠。

我們像小學生一樣將旅行社發的住宿券乖乖交過去。

接著，我們就跟這個一句英語也不會說的智利人，駛上了沙漠公路，搞不清楚他到底是誰，會把我們載到哪裡去，當然我們也不知道他為什麼會遲到。

平坦公路兩旁的風景很是奇特，乾乾的山、白白的土、紅紅的岩石、藍藍的天。十分鐘的車程是這樣，再十分鐘還是這樣，又過了十分鐘還是一樣。

小個子突然停下車，要大家下車。我們大家面面相覷，幻想這是搶劫，我們會被殺死，丟在紅色的沙漠岩石後面。

禿頭法國人用很破的西班牙語問小個子要幹嘛？

小個子只說：「下車，下車，I'm tour guide 。」

好吧，大家都下車了，站在乾乾的一個小岩石丘上，小個子開始指東指西，用西班牙文告訴我們一大堆事。放眼望

阿塔卡瑪沙漠。

去，又是乾乾的山、白白的土、紅紅的岩石、藍藍的天，直覺上這個沙漠看起來走一個月也走不到盡頭。

啊，原來是已經開始行程介紹了啦！我忍住快笑出來，一定是會講英文的接機導遊不在，要小個子來代班吧？

法國人很用力地問小個子他到底在說什麼？

原來是在跟我們介紹四周的山和這兒的地理環境，我覺得小個子還是滿盡責地在做他的工作。

特別設計的沙漠旅館

我們上了車，又開了二十分鐘才到綠洲小鎮：San Pedro de Acatama。

原住民之綠洲。

因爲是中午，小鎮僅僅幾條的街道上沒什麼人，可能是太熱，人都躲太陽去了。土路邊坐著一些歐洲登山客，白皮膚曬到紅透了，我們的車一過，揚起一陣灰沙，不管是人還是野狗全都閃到一邊去。

訂好的旅館叫做：Terrantai Lodge。小個子把我們載到了就算交了差，嘆了大氣跑走了，我們站在旅館的木梁草篷接待間裡不知該找誰。

突然從辦公室出來了會說英文、穿著旅館制服的年輕女孩，共三個人，很親切地跟我們解說住宿的注意事項。

旅館是經過特別設計的空間，藏在沙漠一般居民土房之中，完全沒有破壞古老綠洲小鎮的景觀，也讓遊客感覺就是跟當地人處在同一個生活環境裡。這是我最喜歡的呀！很舒

沙漠小鎮街景。

服的氣氛自我心底昇起來。

十點停止供電，每日供應三餐；旅客當天的旅遊行程就請看辦公室門口的黑板，上頭會寫得很清楚。

哇，這個好玩ㄟ，用粉筆寫的行程！黑板旁還擺著板擦，太正點啦！

旅館是一位智利室內設計師的傑作，裡頭保留著原地生長的樹，房間也繞著樹蓋，不曾破壞環境。最喜歡的是早餐房間的屋頂是仙人掌木搭的，坐在裡頭會忘了是在炎熱的沙漠哩！

三餐由大廚來料理給大家吃，就在豆角樹底下，吃著吃著還會掉下來乾了的豆莢，好像樹派了豆莢來跟我們問好。

旅館是由沙漠中的黑色石頭砌起來的，選的石頭全都一個大小，因爲很一致，讓整個空間很好看也很自然。

「啊，太讚了！」我高興地對老德先生說。

整個旅館共二十五個房間，房中有一座吊扇、一盞蠟燭，一套簡單的衛浴設備，也是以黑色石頭爲主，看起來非常現代感，採光也是自然光。因爲沙漠中的空氣乾燥，沒濕度的狀況下，即使熱也不會流汗。

「哇，好想在這兒住久一點喔！」我對老德先生說。

愛玩的老婆好像到哪兒都很快會流連往返，實在太糟糕。

百聞不如一見的智利小姐

「妳快點準備好，妳沒看黑板上已經寫了我們下午的行程啦？」老德先生提醒我。

「什麼？下午就有行程呀？」要不是老德先生剛細心去看

印地安原住民老婦人
（她生氣，不喜歡照相）。

沙漠中的行動銀行，每星期一來，大家用提款卡提錢，車上的衛星會將密碼資料與聖地牙哥的總行做連結。

黑板，我一定會根本不知道有行程。

原來是去看這兒的人類博物館，我們的導遊是位個子嬌小的墨西哥女孩，她嫁了智利人，所以來到這兒工作，她的老公是沙漠火山的登山導遊。因爲她曾在美國進修地質學，聽她講San Pedro沙漠火山的故事特別好聽。我倒覺得人類學博物館後面可以看見的Licancabur火山（海拔五九一六公尺）好好看呀！看起來有點像富士山的模樣。

「智利小姐在哪？」行程同行的一個人問。

導遊笑了出來，說自從美國國家地理雜誌介紹過之後，就一大堆人來這兒找著要看智利小姐，別急，別急，馬上就看得到。

智利小姐？喔，對啦！這一定要看呀！

導遊小姐不急不緩地帶我們看了整個阿塔卡馬一萬一千年前的化石和人類遺跡收藏之後，終於帶我們來到智利小姐的

別看她長這樣，她可是考古學界超有名的「智利小姐」喔！

沙漠綠洲中的小鎮，只有十九戶人家，卻有一座教堂。

小教堂都是兩座，有鐘的那邊是「男生」，信徒聚會的那邊是「女生」。

面前啦！

智利小姐曾經很漂亮，聽說是位公主當了新嫁娘，不過很年輕的時候就因病身亡；阿塔卡瑪古印加人都按習俗坐葬，所以智利小姐被發現時是低頭坐著，穿有美美的華服在身上。她背了一個編有黯淡圖案花紋的竹籃，那裡頭是個死去的小嬰兒，或許她正是因此而失神，美美的公主失去她的孩子顯得特別心傷。

智利小姐就是人類考古學上最驚人的阿塔卡瑪古文明所發現的木乃伊，雖然只剩骷髏，全身上下還是與兩千年前保存的一模一樣。

「你們看她頭髮的編法，就知道她的身分和愼重其事的葬禮，也顯出當時這兒的阿塔卡瑪印地安文明的水準。不過，這兒的只是一具模型，眞的那具木乃伊已經移到聖地牙哥的博物館冷藏起來了，因爲還有很多在她身上要持續的考古研究。」導遊說。

大家一陣感嘆，原來是模型喔！

「別感嘆啦！」導遊說，「明天還會去看更多好玩的喔！」

明天看啥呀？我躺在旅館床上問老德先生，此時離停止供電還有幾分鐘。

「我剛去看過黑板了，要看印加廢墟和月世界。」

「印加帝國的廢墟嗎？哇，好神祕喔！」

沙漠小鎭的發電機停了，房裡暗了下來，我聽見有小狗在汪汪吠著，窗外有一輪又大又亮的明月。

難忘的沙漠

「哇——！」同行的一位二十出頭的英國小男生，居然就在我們要爬上印加廢墟的時候，直落落地從土牆上摔下去啦！

一起參觀廢墟的人都一陣尖叫。

可能是這兒眞的太乾燥了，讓剛抵達的每個人都有點頭昏昏腦鈍鈍。

昨晚在旅館還傳出一位瑞士遊客昏倒的消息，因爲沙漠小鎭的海拔（海拔二四三八公尺）讓人會輕微地感覺到高山症吧！

小男生的腳擦破皮流了血，他笑說可能是印加人不想讓他參觀吧！每個人都在捐衛生紙給他止血。

Pukara de Quitor 廢墟只離小鎭三公里，是印加人在安地

印地安人的廢墟。

斯山脈智利這邊留下的遺跡。這兒旁邊的綠洲住了很多印地安原住民，主食就是玉米，大多有養駝馬，果眞回程的路上，就看見在山上跑的駝馬，好漂亮呀！農家還在牠們頭上戴了綵帶，相信天神就會看護駝馬不生病。

看到頭戴綵帶的駝馬，我馬上在回到小鎭時，就去沙漠手藝小市場買了幾隻小紀念品駝馬，眞是難忘的戴綵帶在山上奔跑的駝馬呀！

下午去了月世界，哇，這兒眞好玩！在紅色岩石環繞的山谷中有道很大很大的沙丘，爬四十分鐘上去看日落，有夠難忘！

我第一次看見日落餘暉可以把火山的山頭變成紅色、紫色和金色，沙漠中稀薄乾燥的空氣，讓整個山谷眞的像在外太空呀！

感謝「甜手」醫生

說實在的，可能是身體抗議得很厲害，又加上突然來到更不同的氣候中，雖然天天擦藥和服藥片，身上的笨魚疹依然不退。

晚上吃完晚飯，我讓老德先生看看該怎麼辦。

疹子不但沒消，還越長越多，從小紅斑變成現在的大黑塊了！

老德先生一把拉著我就到旅館櫃檯求救，他說再不能這樣下去，實在太嚴重啦！

一想到看醫生，我就又哭喪著臉。

我說：「現在可是在沙漠呀！萬一他們帶我去看巫醫怎麼辦？」

阿塔卡瑪沙漠的月世界。

我快要嚇得哭出來。

老德先生再不理我說什麼，「就是巫醫也要看！這已經太嚴重啦！」

旅館櫃檯當晚值班的是個大學生，看了我身上的斑，馬上就打電話給醫院。

「別擔心，醫生馬上就過來開門。」大學生說。

「開門？什麼門？」我問。

「這兒是沙漠，沒有正式的醫院，只有急診處，專門救治發生山難的登山客，如果太嚴重就得用直昇機送去Antofagasta或聖地牙哥。所以我打電話給急診醫生了，他來開急診室的門。」大學生耐心地說。

我聽了兩眼發直，對老德先生說：「我不要被送走呀！」

我的表情可能很搞笑，櫃檯大學生竟然忍不住笑了。

急診處離旅館不遠，櫃檯大學生陪我們一起走過去當翻譯。

爬上通往月世界的古通道。

爬上月世界的沙丘看日落。

急診處是道大木門，裡面停了一輛救護車。

「耶句親規忽拉？」醫生是個智利本地的原住民。

醫生講的西班牙文我一句也聽不懂，我又用土法畫了一隻魚，然後把身上的疹子給他看。

他一看就告訴大學生得馬上打強力的針才行。一聽翻譯，我哇哇大叫。

大學生試著安慰我，說這名醫生是整個沙漠出名的打針不痛的醫生，小孩子們給這位醫生一個「Sweet Hand」的封號，連小孩都不怕讓他打針的「甜手」醫生。

這樣啊？那我就安靜一點。

「什麼針？什麼針？」我好奇地問。

甜手醫生又跟大學生、老德先生嘰哩咕嚕講了一陣。

「是類固醇。」老德先生說。

我大叫：「不要呀，不要呀！我不要得『月亮臉水牛

被送去這家沙漠醫院急診。

在月世界的沙丘上騎單車的旅人。

肩』，不打針，不打針！」

甜手醫生又嘰哩呱啦講了一堆，只聽見老德先生對我說：「不是Beta Blocker。」

我還沒來得及聽懂，甜手就拉起簾子，要給我打針，我慘叫一聲：「啊——！」

這次連醫生都笑了出來，因爲他還沒開始打針，我就已經叫了！

老德先生則頻頻搖頭，櫃檯大學生也笑了。

醫生很嚴肅地給了一張吃東西的禁忌單，囑咐大學生一定要翻譯給我聽，絕對不能吃這些東西！

能吃的有六樣：

1.飯或麵	2.肉類	3.清淡的醬汁
4.水果	5.果汁	6.白麵包或餅干

不能吃的有七樣：

1.有咖啡因的食物	2.香蕉	3.巧克力
4.蛋	5.香腸	6.海鮮
7.蛋糕和甜食		

甜手醫生還在不能吃的那一欄用紅筆寫了個大大的「NO」。

哇，好嚴格的樣子。

第二天早上，甜手果眞有效治療，疹子已經開始退了。

好高興呀！

我帶著甜手醫生的禁忌單去吃早飯，改喝茶、吃白土司。不塗有糖的果醬，只吃蘋果。

當我們去看沙漠中廣約三千平方公尺的白鹽海時，我的疹子就已經消失無蹤啦！

神奇的沙漠鹽湖

老德先生和我手牽手站在白白的一片鹽海中的棧道上，看Licancabur和Lascar兩座有著白白山頭的火山時，心情也是很平和的一片雪白色ㄟ！可是眞奇怪，雖說是「雪」白色，這片阿塔卡瑪最大的鹽平原卻是在沙漠裡，跟雪一點關係也沒有呀！

這是專門來聽鹽山嗶嗶剝剝崩解聲的登山者。

鹽湖綺麗的顏色。

再往上去到鹽海平原上的Chaxa湖，看到一整個湖中都有粉紅色的火鶴飛舞。智利政府決心要將這鹽湖中的所有生態保護，這眞是人類送給野生動物最好的禮物。

這片鹽海的日照會到四十度，而濕度卻爲零，這樣的環境讓鹽變成了漂亮的結晶，也讓這兒生產著世界最多的鋰元素。鋰元素？呵呵，就是我們現在鋰電池的製造原料呀！

眞是神奇的沙漠鹽湖！

高山溫泉日出浴

黑板上寫著我們的名字，明天早上四點半集合！

四點半！愛賴床的老婆看到黑板上的粉筆字快昏倒。

「為什麼要那麼早起床呀？」我問老德先生。

老德先生又開始把他知道的說給我聽：

「阿塔卡瑪沙漠中海拔五五九二公尺的活火山Loscar，一九九三年才爆發過，火山口直徑有七百五十公尺，深有三百多公尺，岩漿讓整個區域有熱熱噴泉燙得像火，到處冒著的地熱快跟星辰一樣多。早晨爬上海拔四千兩百公尺的Geysers Del Tatio，就可以看見從地底噴出的熱泉，整個山中全是白煙，朝陽就變成朦朧的影像，開始燦爛的一天。」

「還可以洗溫泉澡ㄟ！」老德先生臉上又出現小孩子般的眼神，決定要帶游泳褲上四千兩百公尺高山上的地熱區泡溫泉。

我一聽快昏倒了啦！那麼高的山不會得高山症嗎？

去程要三小時，就為了看霧濛濛的日出？泡溫泉我可沒興趣，我的笨魚疹才剛退，沒勇氣試。

老德先生快樂地找出游泳褲裝進背包，準備來個「高山溫泉日出浴」。

「法國人噴泉」？

我的頭快晃掉啦！

小車載著六個遊客上Del Tatio地熱山的時候，整車人都叫苦連天。

因爲這整條路是堅硬的鹽山石，開不了公路，所以一路顚簸，三小時下來，哇，骨頭眞的快散了。

老德先生超興奮，所以只希望快點到山上，還頻頻問我照相機準備好沒有，一定要拍下他的出浴鏡頭。

「喂，你眞是個愛現鬼啦！」說完我的頭差點在車子上彈下落時，撞到車頂。

「嘻嘻！」老德先生笑起來，樣子很可愛。

德國的電視台要來拍這兒的日出，早有攝影小組在準備，導演奔波在嘩嘩冒著白煙的地熱中間找景。

而我什麼都看不清楚，因爲煙太大啦！

「大家要小小心喔！」導遊叫起來。

「你們要非常注意腳不要踩到地熱四周的石頭，看起來堅硬的地方，其實已經被高溫硫磺侵蝕薄得像脆片，掉下去的後果已經有人試過了！」導遊認眞地警告大家。

老德先生過來拉住我，因爲我正在一個咕嚕咕嚕冒著幾百度熱泉的噴口邊照相，很容易出狀況的老婆還是要看好一點。

「誰試過啦？還活得了嗎？」有人問。

導遊指指我們身旁一個看起來冒著很多煙，石頭特別七彩好看的地熱口說：

「這個噴口叫『法國人噴泉』，掉進去的第

GEYSERS DEL TATIO

一個法國遊客相當可憐，因爲不到一分鐘的時間，他全身上下只剩骨頭相連。」

哇！大家趕緊站得離那個噴口遠一點。還有人怕看不清路面，用手帕不斷擦拭著一直起霧的眼鏡。

導遊看大家怕了，再說：「另一個山頭那邊有個地方叫：『德國人走失』，因爲一位隨團來這裡看日出的德國人，高山症頭昏昏的情況下與大家脫隊走失了，三個月後才在那邊找著屍體，所以大家要跟緊我，免得找不到回車子的路。」

「看看你們這些歐洲人，不是掉進熱噴泉就是走失，唉！」我對老德先生嘆口氣。

「喂，妳跟好隊伍，我可不想這兒會有個『台灣噴泉』喔！」老德先生回敬我一句。

體驗智利的地震

日出時，整個高山眞的好看，白茫茫的煙霧，高海拔山上的天有夠蔚藍。

老德先生如願跳進一個恆溫三十八度的池塘游泳，雖然我被冷冷的空氣凍得全身顫抖，池塘裡一堆人泡著溫泉，確實是好玩的大自然體驗。

回程車子依然很顛，老德先生好像感冒啦！整個臉脹得像關公那麼紅！

「要吐啦！」

車停下來讓該吐的人下車去清清腸胃。

眞奇怪，我居然沒事！通常應該是我這麼脆弱，今天卻變老德先生！

4,500公尺中高海拔上的沙漠溫泉。
（中間把腳抬高的是老德先生）

沙漠中的地熱泉，一個不小心就會掉下去。

我在山裡一個小綠洲裡看見了好幾隻括那扣在喝水，也看見了一隻超像童話中無所事事的小狐狸。

我一點都沒有不舒服的感覺。

老德先生帶著痛到快裂的腦袋睡了一大覺，我則在半夜醒來看看他還有沒有發燒。

三點半，窗外的星夜眞漂亮！在完全沒有光害的沙漠中，星夜眞的是繁星點點掛在穹蒼，像個大大的黑色圓頂，有著幾千萬顆閃閃的鑽石，一直連到地平線。

明亮的月光透過中庭的豆莢樹灑落，我幻想自己是幾百年前的阿塔卡瑪印地安人，在靜靜的沙漠的夜晚發呆。

我突然覺得自己該留長頭髮來編辮子才對，今天看到小村落的女人全掛著兩條好看的長辮子，穿著傳統的織布服，她們可眞好看！

狗突然叫得很急，公雞也飛上牆頭咕咕咕地啼，我心想：「是賊嗎？怎麼動物那麼激動？」還沒想完，就一陣地動天搖，我連站也站不住！

哇，好大的地震呀！大概搖了三十幾秒才停，房中的吊扇嘎啦嘎啦地搖著響。

老德先生醒過來，說：「地震囉！」

又因爲頭痛沉沉，再度睡著。

嗯，眞的遇上了智利的地震，本來以爲旅遊指南中說在智利遇見地震是平常的事有點誇張，不過總算在阿塔卡瑪經驗到了。

GEYSERS DEL TATIO

夫妻輪流得高山症

老德先生一早起床，整個人又生龍活虎。

他是最讚的旅行夥伴，生病不會生太久，也很少自怨自艾，總之先玩耍對他最重要。

今天換我去看黑板，知道要去的是：Altiplanicas 湖。

老德先生一聽就又高興啦，他說這個湖因爲海拔很高，顏色很漂亮，加上是在白鹽平原的高處，一定好看！

眞奇怪，這個人都不會因爲昨天的高山症和頭痛而嚇到喔？

上了車，導遊說要帶我們上到海拔六千五百公尺的高度。那是有多高？我會不會有高山症？應該不會吧！昨天上到四千多公尺的地熱區都沒事呀！

我完全估計錯誤！

當我們短暫在三千五百公尺處，停下來看一個火山口時，我就覺得眼睛痠痠的。車再往山上爬，我最後看到的景象是一隻驢站在寂靜的高山公路旁，接著，「碰！」我像被人用力揍了一拳似的，直直地倒下去，頭痛到想昏死過去！

「啊，高山症！」導遊說。

一時間，全車的人開始捐各種抗高山症的藥片給我。我的頭卻動一下都會像要裂掉，根本沒力氣說話！

導遊泡了沙漠中的一種茶給我喝，那是印地安人治高山症的草藥。

嘩嘩嘩，吐了出來。

我的嘴唇很燙，好像要爆開了，我的眼睛和頭應該是跟老德先生昨天一樣紅。

我被大家平擺在車座位上，接下來所有的行程，我只能睜開痠痛的眼睛一角，死命地想欣賞一點風景，卻只能看到車窗外往越高海拔就越藍的天空。

我心裡想，阿塔卡瑪沙漠是個一年三百六十五天都有藍天的地方呀！眞不錯ㄟ！

因爲大家和我自己都知道我應該不會死，所以繼續往山上遊玩，我們眞的到了海拔五千多公尺的一個淺藍色鹽湖邊。湖細細長長的，顏色、長相都那麼秀氣，我眞想看，卻怎麼也爬不出車外。

導遊開始佈置午餐，大家可以逛湖或吃東西。我兩樣事情都不能參加，氣得眼角流下了一行比高山鹽湖更水藍傷心的淚水。

昨天是我，今天是你，我們輪流得高山症，剛好可以輪流照顧。

老德先生把我扶上旅館的床，我說了聲謝謝，然後就沉沉地睡著。

最棒的紀念品

San Pedro de Atacama 教堂。

這是輕鬆的一天，我們去逛小村落裡的手工藝市場，去連線慢到可以的網咖發郵件看新聞。當然我又花了四十五分鐘下載中文字體。

我到電子報的網站，向訂報的讀者報告我的智利之旅。按下傳送的鍵，覺得能從世界上最乾燥的沙漠跟大家講述旅行，確實有著滑稽的感受。不過同時也祈禱，撥接的伺服器不要突然斷線，如此寫好的文章就要一切重來。

我們經過小村落有四百年歷史的教堂時，也進去看看。

這是個外觀全白色的教堂，有很多人是專程來這裡看這座教堂的喔！因爲它整個屋頂是用仙人掌木搭起來的，眞的好特別！加上印地安人依想像中的上帝所做的手工雕像，在祭壇中央看起來跟歐洲看到的完全不同，很樸拙又很孩子氣，讓我們坐了好久都不想走。

「他們在幹嘛？」我問老德先生。有一群印地安孩子在教堂中，跟著神父操練著什麼慶典儀式的樣子。

「復活節呀！這是星期五的耶穌受難日的慶典。」老德先生說。

喔，對呀，我們是在復活節要回到德國，跟婆婆說好的，算是天主教徒重要的節日。

豆莢樹下的晚餐何其美味，胖胖的旅館廚師確實爲客人盡心烹調。

眞可惜今晚是在智利的最後一夜，阿塔卡瑪沙漠的星空正在向我道別。

「小姐，今夜是滿月。」送餐的侍者這麼對我說。

「有什麼特別的意義嗎？」我問。

侍者笑著說：「明天就要離開啦！我們都會請遊客要再走一次這沙漠小村的街道，記得這裡，也希望你們再回來！」

沙漠蓋房子。早上看他抹泥，下午 Internet Cafe 就開張了！

啊，眞是感性的招待！

我們決定飯後去散散步，再看一次沙漠中的小土屋和屋中點著的燭火。

當我們經過小教堂時，發現燈火通明，擠了幾百人準備望彌撒。

我第一次看見那麼多印地安原住民，有老人和小孩，年輕人則準備唱詩和讚美儀式。

沙漠中賣手工藝品的小市集。

因爲教堂點了燈光，有著令人心醉樸實的美，我們像被催眠似地也跟著走進去了。

一堆外國人也在那兒照相，看來都是觀光客。

我們運氣好，有一點長凳上的空間可坐。

突然老德先生被一個原住民婦人抓住，開始用西班牙文講了一大堆。

我們看看別的外國人，似乎也不明白爲什麼。

「是不是要奉獻？」老德先生拿出披索，老婦人搖頭將錢推開。

她還是不停地跟老德先生說，像是要老德先生做件什麼事。

眞奇怪，教堂中幾百人，她爲何偏偏拉住老德先生不放？

「阿拉曼？阿拉曼？」她問老德是不是德國人。

老德先生聽懂這句，就猛點頭。

老婦人走開了，領了位較年輕的印地安女人回來，叫她跟

教堂可愛樸拙的聖像。

老德先生抬復活節十字架。

被洗腳的老德先生。

老德先生說。

女人會說一些德文句子，加上比手劃腳，才弄清原來老婦人一定要老德先生去充當今天被神父「洗腳」（耶穌受難日傳統的習俗，神父要爲信徒象徵性地淨足）的十二個門徒的其中之一。

老德先生欣然同意，覺得無上光榮。老婦人很高興，拉著老德先生就往祭壇走，那兒已坐著其他十一個扮十二門徒的人，我一看，除了老德，全是印地安人。

眞幸運！能在這遠近馳名的聖佩羅阿塔卡瑪的沙漠中，跟當地人一起這樣望彌撒呀！我想老婦人一定是喜歡有點孩子氣的老德先生的臉龐吧？

洗過腳，出來了較健壯的人來抬耶穌的大木雕像，要遊遍整個小村，幾百人要跟著聖像後頭走，還是照著非常古老的天主教儀式。老德先生又被神父邀請去抬聖像，哇，好棒喔！我跟著這樣的人群，感覺他們的虔誠信仰，而且還無私地請陌生的外國人來抬聖像，這在歐洲是很少有的事。再看看很多年齡相當高的印地安人堅定的臉龐，安靜地邊走邊做祈禱，我眞的是有感動的淚珠在眼中打轉呀！

「哇！那個老聖像，好重呀！」老德先生回到旅館看看自己被壓得又紅又腫的肩頭，遊一圈小村子，用了四十分鐘。

「不過是來智利最棒的紀念品！」他的臉上又漾起像小孩的笑容。

眞的是感謝那位侍者的建議！可能眞的是天使要他來叫我們去散步的吧！

謎底揭曉

回程在西班牙機場的過境，我們特意回到想出要玩互寄明信片的那個座位。

我沒問老德先生到底是何時寄出明信片的，反正馬上回家就要謎底揭曉。

我的那封「最偉大的情書」也應該寄到了吧？

這遊戲眞的超無聊的，不過讓旅行變得很有趣。

當然，你不要刻意要對方試，要兩個人都想玩，才會有意思；而這兩方都想與對方遊戲的本身，其實就是愛情中已寫好的一封最偉大的情書的本文。

戀愛中的你，同意我的看法嗎……

親愛的 **Augusta**：

到目前爲止，我們的智利之旅顯得有點太舒適了，不過也很美麗。跟妳一起旅行實在可以很有趣，簡單說沒有妳的旅程完全不可能！我愛你！我們還有十天的行程，希望天氣和所到之處都讓這次度假更好玩。明信片背面是一隻公、一隻母的海象，我希望我永遠不會在體重方面變成那樣！

In Love

Michael（老德先生的蚯蚓似的簽名）

哇，居然選的是海象啦！我看了明信片，好笑地叫起來！

老德先生看了我寄的長得很好笑的冠企鵝明信片也哈哈大笑。

這對互寄明信片的人，眞的一點也不浪漫呀！選的明信片也有志一同很搞笑ㄟ！眞的是不符合「最偉大的情書」的氣氛。

老德先生給我一個擁抱，那是我在明信片結尾要求的。

「現在可以說你是什麼時候寫的了吧？」

「嗯，就是在去百內公園，我把行李拿下去櫃檯寄放的時候呀！」

我回想一下，原來是那個空檔呀！難怪是同一天寄的，現在才一回家就收到已經躺在郵箱中的明信片。再看日期，我是前一天晚上寫的，所以是三月十八日，而老德先生是三月十九日。好小子，下回我要更加防範這種機會，讓這個遊戲越來越不容易玩。

「我還從吃早餐的地方看到妳把明信片丟進旅館的郵筒喔！」老德先生說。

「哇，這次好像讓你佔上風囉！」

我們開始各自清理著背包，像每一回旅行後回到家那樣……

圓神出版社
Eurasian Press

http://www.booklife.com.tw　　inquriries@mail.eurasian.com.tw

鄭華娟系列　008

南十字星下的約定

作　　者／鄭華娟

發 行 人／簡志忠

出 版 者／圓神出版社有限公司

地　　址／台北市南京東路四段50號6樓之1

電　　話／（02）2579-6600・2579-8800・2570-3939

傳　　真／（02）2579-0338・2577-3220・2570-3636

郵撥帳號／18598712　圓神出版社有限公司

資深主編／林秀禎

主　　輯／林慈敏

責任編輯／林慈敏

美術編輯／劉鳳剛

封面插畫／廖麗萍

校　　對／鄭華娟・林俶萍・林慈敏

法律顧問／圓神出版事業機構法律顧問　蕭雄淋律師

印　　刷／國堡國際公司

2002年12月　初版

2002年12月　3刷

感謝智利航空與智利旅遊局提供以下照片／p.10、p.15、p.18、p.19、p.25、p.34、p.37、p.45、p.52、p.53、p.54、p.59、p.64、p.66、p.67、p.71、p.74、p.81、p.85、p.88、p.89、p.91、p.95、p.111、p.117、p.120、p.121、p.122、p.124、p.125、p.127、p.130、p.132、p.139、p.140、p.143、p.151、p.153、p.164、p.169、p.176、p.179、p.190、p.191、p.196、p.201、p.205、p.211、p.215

定價 240 元　　ISBN 957-607-858-X　

國家圖書館出版品預行編目資料

南十字星下的約定 ／ 鄭華娟著． -- 初版. --
臺北市 ： 圓神，2002〔民91〕
面 ； 公分. --（鄭華娟系列 ；8）

ISBN 957-607-858-X（平裝）

855 91019622

鄭華娟的歐洲生活報告

巴黎小館祕密情人

定價230元

面對異國的愛情、生活與文化衝擊，華娟永遠有許多異想天開的好笑看法。不論是德國惡名昭彰的咬人折扣戰、解除家庭主婦夢魘的通水管救星、爲情所困的讀者想交外國男友……她統統有話要說，而面對巷口的溫馨手工麵包店的關門、德國對森林與野生動物的保護、對一個城市的情感與珍惜，她也有一些感動與你分享……

* 在歐洲折扣季瞎拼時，為什麼要小心被「咬」呢？
* 「可愛」對你來說只是幼稚的事嗎？你知道認真的可愛也能感動人嗎？
* 深邃巷子裡的古董店，居然要靠氣象報告來決定營業時間？
* 你厭倦了人云亦云的美麗模式嗎？你知道擁有自己的獨特品味是一件很有趣的事嗎？
* 為什麼德國醫生每餐只吃400公克以下的食物呢？
* 到底發生什麼事，讓華娟和婆婆變成令人不停搖頭嘆氣的婆媳狗仔隊？

黑森林的愛情樹

定價220元

在德國史派亞這個安靜的小小城鎮，在一棟東西文化交會的小小屋子裡，每天都有驚天動地的笑料發生……

* 你以為你「正常」而可愛的撒嬌聲，在德國人眼中，卻是多麼恐怖的體驗？
* 竹筷要扳開才能用。但你聽過德國阿姨把手指卡進沒扳開的竹筷中挑著飯吃，把手指夾得又紅又腫的好笑故事嗎？
* 讓德國人不吃會抓狂的小圓麵包，到底有什麼神奇魅力呢？
* 你知道超流行的貝肯史脫克（Birkenstock）皮拖鞋，是不能隨便亂穿的嗎？

好奇貪玩的華娟，這次不但要告訴你，在和諧中不搭調，不搭調也很好笑的文化差異，還要一本正經的告訴你，發生在德國北方森林，關於一棵愛情樹，與一個郵差的浪漫愛情故事……

像一隻大鳥，智利航空LANCHILE帶我飛進南美這熱情的奇幻之土……

智利的美，是一種如夢的真實，在入夜後的巴塔哥尼亞山區，抬頭就能仰望如白霧團的銀河，看呀！神秘的南十字星，幾世紀來導引的不只是海上的水手，也給愛旅行的我，心靈上被呼喚引領的明亮感覺。

我後悔沒偷一本智利航空飛機上的酒單！那是由軟木塞印製成的，觸摸酒單的同時，智利一望無際的葡萄園印象，快速由指尖傳到腦海，引起了品嚐智利美酒的記憶。

自己去看看吧！只要坐上那隻叫智利航空的大鳥，讓牠帶你飛越過充滿印地安傳奇的安地斯山脈，沿著四千八百公里長的太平洋海岸線，在安地斯山脈沒入海平面時，又帶你飛入了世界最南端的巴塔哥尼亞…